O AMGYLCH
LLANDUDNO
MEWN HEN LUNIAU

AROUND
LLANDUDNO
IN OLD PHOTOGRAPHS

O AMGYLCH
LLANDUDNO
MEWN HEN LUNIAU

AROUND
LLANDUDNO
IN OLD PHOTOGRAPHS

CASGLWYD GAN
COLLECTED BY
MIKE HITCHES

ALAN SUTTON

Alan Sutton Publishing Limited
Phoenix Mill · Far Thrupp · Stroud · Gloucestershire

Cyhoeddwyd gyntaf ym 1992
First published 1992

Manylion catalogio y Llyfrgell Brydeinig
British Library Cataloguing in Publication Data

Hitches, Mike
Around Llandudno in Old Photographs
I. Title
942.927
ISBN 0-7509-0023-7

DEDICATION: To Marian and Alvin

Typeset in 9/10 Korinna.
Cysodi a gwaith gwreiddiol gan
Typesetting and origination by
Alan Sutton Publishing Limited.
Argraffwyd ym Mhrydain Fawr gan
Printed in Great Britain by
The Bath Press, Avon.

CYNNWYS • CONTENTS

RHAGYMADRODD

Yn sefyll ar dir corsog fflat y Gorynys Creuddyn, rhwng dau bentir, y Gogarth Fawr a'r Gogarth Fach, sefydlwyd Llandudno fel cyrchfan gwyliau ang nghanol yr 19fed ganrif. Mae'r dref yn derbyn ei henw oddiwrth eglwys Sant Tudno, yr eglwys blwyf sydd yn sefyll ar y Gogarth Fawr. Yr oedd Sant Tudno yn un o'r Cristionogion Celtaidd cyntaf a ddaeth yn fynach ym Mangor. Dechreuwyd datblygiad y dref fel cyrchfan gwyliau pan roddodd yr Anrhyeddus E.M.L. Mostyn, mab Sir Edward Pryce Lloyd, yr Arglwydd Mostyn cyntaf, gomisiwn am yr arolwg ac adroddiad cyntaf gan pensair Lerpwl, Owen Williams. Oedd Owen Williams wedi ymweled a Llandudno yn y flwyddyn 1844, ac oedd wedi dweud wrth rhywun fod prydferthwch yr ardal yn ei gwneud yn ddelfrydol fel cyrchfan gwyliau. Y canlyniad yw fod tref Victorianaidd brydferth iawn wedi ei chodi, ac ei bod wedi ei chadw felly hyd y dydd heddiw oherwydd fod Mostyn Estates, sydd yn berchen ar 'freehold' y dref, wedi cadw rheolaith gaeth arni. Dangoswyd rhagwelediad fawr pan gynlluniwyd y dref, oherwydd mae ganddi ffyrdd a llwybrau llydan, yn ogystal a rhodfa eang, rhywbeth sydd yn eisiau mewn llawer o drefi lan-y-môr eraill ym Mhrydain.

Cyn i'r dref ddyfod yn ganolfan gwyliau, gwybodir Llandudno am fwynglawddio copr ar y Gogarth Fawr, diwydiant a oedd mewn bod er amser y Rhufeiniaid. Diflannodd mwyngladdio copr yn ystod yr 19fed ganrif oherwydd fod costiau y mwyngladdio wedi mynd yn rhy uchel. Oherwydd fod hen weithiau mwyngladdio wedi cael eu darganfod yn ystod blynyddau diweddar, fe agorwyd amgueddfa fwyngladdio ar y Gogarth Fawr yn y flwyddyn 1991. Parhaodd y bobl oedd yn byw ar y Gogarth Fawr i siarad Cymraeg am flynyddau wedi i bobl dref Llandudno gael eu Seisnigeiddio ar ôl i'r dref gael ei datblygu fel canolfan teithwyr.

Byddai hanes Llandudno wedi bod yn wahanol iawn pe bau Porthladd Sant George a'r Cwmni Rheilffordd wedi llwyddo cael porth pacedau i'r Iwerddon wedi ei sefydlu yn y dref. Yr oedd y cwmni wedi meddwl cael rheilffordd o Gaerleon i borth newydd i gael ei adeuladi yn Llandudno, a byddai hwnnw wedi cael ei alw yn Borth Wrecsam. Sut bynnag, fe lwyddodd y cwmni gael hawl i adeuladi rheilffordd o Gonwy, trwy Deganwy, i Landudno. Agorwyd i rheilffordd yn y flwyddyn 1853, a cymorthwyodd hynny yr ardal i gael ei hagor i deithwyr gwyliau ac i Landudno gael ei ddatblygu fel cyrchfan gwyliau ffasiynol. Cafodd y porth pacedau ei gwrthod yn fuan yn ffafr porth Caergybi, a oedd wedi ei sefydlu flynyddoedd yng nghynt. Pe bau'r cynllun wedi cael ei dderbyn, byddai Llandudno yn dref wahanol iawn. Byddai'r brif rheilffordd yn sicr o fod yn rhedeg drwy ganol y dref, a byddai'r porth yn myned a llawer o'r rhodfa bresennol.

I ddwyrain y dref mae pentref Craig-y-Don, ac er fod hwn yn rhan o'r Mostyn Estate, ni gafodd ei ddatblygu hyd wedi y Rhyfel Byd Cyntaf. Mae llawer ystad breswyl wedi gwneud i'r pentref ymgripian tua'r canoldir ac erbyn hyn mae bron a chyrraidd tai Deganwy, sydd ar ochr arall y gorynys. Flynyddoedd yn ol, 'roedd gan Deganwy gastell Plantagenet, ond mae hwn yn awr yn ardal preswylio, gyda llawer o dai dymunol iawn a chanolfan siopa atyniadol. Yn sefyll yng ngenau Afon Conwy, mae gan y pentref draeth bach a lle morol. Ar un amser, yr oedd cei llechi ar ochr yr afon, a gobeithiwyd byddai'r rheilffordd wedi dyfod a llechi o Flaenau Ffestiniog a Bethesda i gael eu cludo dros y mor. Ni sylweddolodd y cei llechi ei botensial byth, a cafodd ei gau cyn i'r Ail Ryfel Byd gael ei ddechrau.

Tu hwnt i Graig-y-don mae'r Gogarth Fach, sydd yn gwahanu Llandudno oddiwrth Bae Penrhyn. O'r flwyddyn 1907 hyd yn hwyr yn y 1950au, yr oedd tram trydanol, yn gweithio rhwng Llandudno a Bae Colwyn, yn rhedeg o amgylch y Gogarth Fach i Fae Penrhyn. Pe bau ffordd y tram wedi cario ymlaen i'r 1960au, mae'n bosibl y byddai wedi cadw yn agor a byddai wedi dyfod yn atyniad teithwyr ei hunan erbyn heddiw, gan greu tipyn o incwm i'r ardal a llawer o gyflogaeth i'r bobl. Mae profiad o hyn ym mhoblogrwydd y gwasanaeth tram sydd yn gweithio o Landudno i ben y Gogarth Fawr.

Yr oedd Bae Penrhyn yn adran preswyl arall a gafodd ei datblygu rhwng y ddau ryfel. Ei adeilad mwyaf enwog yw Hen Blas Penrhyn, sydd yn awr yn glwb nos, ond oedd unwaith yn gartref Robert Pugh, yswain Penrhyn Creuddyn yn yr 16ed ganrif. Mae Bae Penrhyn hefyd yn nodi ymyl gogledd-ddwyrain Gwynedd, gyda Choleg Technogol Llandrillo yn sefyll ar ffin y ddwy sir, Gwynedd a Chlwyd.

Gobeithiaf fydd y llyniau yn y llyffr hwn yn galw'n ôl hâfau hir heuliog a gafwyd flynyddoedd yn ôl a rhoddi pleser i'r bobl sydd yn eu cofio.

INTRODUCTION

Situated on flat, marshy land of the Creuddyn Peninsula, between two headlands known as the Great Orme and Little Orme, Llandudno was established as a holiday resort in the mid-nineteenth century. The town takes its name from the church of St Tudno, the parish church situated on the Great Orme. St Tudno was one of the early Celtic Christians who became a monk at Bangor. Development of the town as a resort began when the Hon. E.M.L. Mostyn, son of Sir Edward Pryce Lloyd, the first Lord Mostyn, commissioned the first survey and report from Liverpool architect, Owen Williams. Owen Williams had visited Llandudno in 1844, and was heard to remark that the beauty of the area would make it an ideal resort. The result was a very attractive Victorian town which, with strict controls applied by Mostyn Estates who retain the freeholds, it remains to this day. Great foresight was exhibited when the town was planned, for Llandudno is blessed with wide roads and pavements, as well as a broad promenade, something which many other British seaside resorts have consistently lacked.

Prior to the town becoming a resort, Llandudno was known for copper mining on the Great Orme, an industry which had existed since Roman times. Copper mining faded away during the nineteenth century as the costs of extraction became high. Discovery of old mine workings in recent years led to the opening of a mining museum on the Great Orme in 1991. Residents living on the Great Orme were Welsh speaking for many years after the rest of Llandudno had become Anglicized following its development as a tourist centre.

The story of Llandudno could have been very different if the St Georges Harbour and Railway Company had succeeded in its bid to have a packet port to Ireland established in the town. The company envisaged a railway line from Chester to a new port to be built at Llandudno, which would then have been called Port Wrexham. The company did, however, obtain rights to build a railway line from Conwy, through Deganwy, to Llandudno. The line opened in 1853 and helped to open up the area to tourism and aided the development of Llandudno as a fashionable holiday resort. The packet port project was quickly rejected in favour of the already established port at Holyhead. Had this project been accepted, Llandudno would have been very different. Almost certainly, the main railway line would have run through the centre of the town, and the port would have taken up much of what is now the promenade.

Just east of Llandudno is the village of Craig-y-Don which, although part of the Mostyn Estate, was not fully developed until after the First World War. Much residential housing development has taken place in the village and this has crept inland until it has almost come into contact with housing in Deganwy, which lies on the other side of the peninsula.

Deganwy once had a Plantagenet castle but is now a residential area with some very desirable houses and a tasteful shopping centre. Lying at the mouth of the River Conwy, the village has a small beach and marina. There was, at one time, a slate quay at the river's edge to which, it was hoped, the railway would bring slate from Blaenau Ffestiniog and Bethesda to be shipped overseas. The slate quay never realized its potential and was closed before the outbreak of the Second World War.

Beyond Craig-y-Don is the Little Orme, which separates Llandudno from Penrhyn Bay. From 1907 until the late 1950s an electric tramway, operating between Llandudno and Colwyn Bay, ran around the Little Orme and into Penrhyn Bay. Had the tramway survived into the 1960s it is possible that it might have remained open and would probably have become a major tourist attraction in its own right, creating considerable revenue for the area and much needed employment. Evidence for this can be seen in the popularity of the tram service that operates from Llandudno to the top of the Great Orme.

Penrhyn Bay was another residential area much developed between the wars. Its most famous building is Penrhyn Old Hall, which is now a night club but was once the residence of Robert Pugh, squire of Penrhyn Creuddyn in the sixteenth century. Penrhyn Bay also marks the north-eastern edge of the County of Gwynedd, Llandrillo Technical College straddling the county boundary of Gwynedd and Clwyd.

I hope that the photographs in this book will recall those long sunny summers of years ago and give pleasure to those who remember them.

RHAN UN • SECTION ONE

Deganwy

Golygfa gynnar o Ddeganwy cyn ei bod wedi ei datblygu rhyw lawer. Yn y cefndir mae aber Conwy. gyda mynyddau Penmaenbach a Phenmaenmawr tu hwnt.
An early view of a relatively undeveloped Deganwy. In the background is the Conwy estuary with Penmaenbach and Penmaenmawr mountains beyond.

Deganwy o fynydd Conwy. Mae'r pentref wedi cael ei ddatblygu rhywfaint ond mae yn dal i fod yn weddol wladaidd.
Deganwy from Conwy mountain. The village has undergone some further development but still remains rather rural.

'Roedd Deganwy yn dechrau bod yn gyrchfan gwyliau erbyn diwedd yr 19fed ganrif. Mae canol y pentref wedi cael ei ddatblygu yn hollol erbyn hyn a mae cychod yn mynd lan a lawr yr aber, rhai yn mynd i Landudno ac eraill yn trafaelu Afon Conwy a thrwy dyffryn Conwy i Drefriw, sydd yn gyrchfan gwyliau a ffynnonau iachusol ynddi. Mae mynydd Deganwy yn meddianu y cefndir canol yn y pictwr yma.

Deganwy was starting to become a popular resort by the end of the nineteenth century, as can be seen in this view. The centre of the village is now fully developed and boats ply up and down the estuary, some going to Llandudno and others travelling up the River Conwy and through the Conwy Valley to the spa resort of Trefriw. Deganwy mountain occupies the centre background in this picture.

Y ganolfan siopa brysur yn Deganwy yn y blynyddau diweddaf o'r 19fed ganrif. Mae'r siopau yn edrych yn llawn o nwyddau ac yn boblogaidd iawn. Mae'r blaenau gwaith haearn yn edrych fel y chwarter Ffrengig yn New Orleans.

The busy shopping centre at Deganwy in the latter years of the nineteenth century. Shops appear to be well stocked and popular. The wrought iron frontages have the appearance of the French quarter in New Orleans.

Ffordd yr Orsaf, Deganwy, fel yr oedd yn edrych yn ystod blynyddau cyntaf yr 20fed ganrif. Mae'r tai mawr, ffasiynol yn rhoddi argraff o ffyniant.

Station Road, Deganwy as it appeared in the first years of the twentieth century. The imposing villas give an impression of prosperity.

'Roedd tai atyniadol, rhywbeth mae Deganwy yn wybodus am, yn dechrau cael eu adeuladu yn y 1930au, fel mae'r olygfa hyn yn dangos. Mae'r rhan fwyaf o'r cartrefi hyn yn sefyll ar ochr y pentref sydd yn mynd tuag at Llandudno a mae'r adran yn un o'r llefydd mwyaf cyfyngedig ar yr arfodir. 'Roedd pwll nofio agored ar fin yr aber yn agos i'r fan yma ar un amser, ond mae wedi cael ei gymeryd drosodd er mwyn adeuladu tai newydd sydd yn gymwys gyda tai eraill yr ardal erbyn hyn.

Desirable houses, for which Deganwy is known, were starting to be built in the 1930s as this view shows. Most of these homes are situated on the Llandudno side of the village and the area is still one of the most 'exclusive' locations on the coast. An outdoor lido once existed at the edge of the estuary near to this point but has now been given over to new housing which fits in with other properties around the area.

Wharf and River, Deganwy

Cafodd cei Deganwy ei ddatblygu allan i'r aber gan y 'London and North Western Railway' yn 1882, gan ddefnyddio ysbail o agoriad allan twnnel rheilffordd Belmont, ym Mangor. 'Roedd y cwmni rheilffordd yn awyddus am ganolhau tramwy llechi oedd yn mynd ar y mor yn Deganwy, ac i greu iddynt eu hunain y tramwy rheilffordd i ddod a llechi o Blaenau Ffestiniog a Bethesda, lle 'roedd chwarelu llech yn bod. Cafodd gwagenni llech lled cul eu cario o'r chwarelu i gei Deganwy ar wageni o led normal a oedd wedi cael eu cyfaddasu er mwyn i'r llechu gael eu rhoddi ar longau. 'Roedd gan y cei ddwy adran i'r llongau, a 'roedd yn golygu fod llawer iawn o lechu yn medru cael eu trin. Dechreuodd y trafael yma yn 1885 ond marwodd allan rhwng y rhyfeloedd a ni ddefnyddiwyd y cei wedi hynny.

Deganwy quay out into the estuary was developed by the London and North Western Railway in 1882 using spoil from the opening out of Belmont railway tunnel, Bangor. The railway company was keen to centralize all sea-going slate traffic at Deganwy, instead of using the established ports at Porthmadog and Bangor, and generate for itself the rail traffic which slates from Blaenau Ffestiniog and Bethesda, where slate quarries were situated, would bring. Narrow gauge quarry wagons were transported from the quarries to Deganwy quay on specially adapted standard gauge wagons for the slate to be loaded on to ships. The quay had two faces for shipping, which allowed for great quantities of slate to be handled. This traffic commenced in 1885 but died out between the wars and the quay fell out of use.

THE LONDON AND NORTH-WESTERN RAILWAY

NEW SLATE DOCK,
DEGANWAY.

PROSPECTUS

OF

The Steam=Ship Company

(PROMOTED BY MR. LL. J. DEDWYDD),

Under Special Facilities and in Immediate Connection with the London and North-Western Railway, for the forwarding of Slates from

THE WELSH SLATE QUARRIES
DIRECT TO THE CONTINENT, &c.

SIR EDWARD WATKIN writing to the "*Times*" concerning the vexatious bar at the mouth of the Mersey at Liverpool, remarked—"In the new competition of Ports, a Port open at any time of the tide must ultimately draw the trade and traffic."

The chief Ports for the shipment of Slates in North Wales are Portmadoc and Bangor. That of Portmadoc, situated on the Northern shore of Tremadoc Bay, serves the Quarries of the Festiniog Valley, and is well-known to Tourists on account of its being the terminus of the famous and interesting "Toy Railway."

Both Portmadoc and Bangor have serious drawbacks as Ports, their efficiency depends greatly upon the spring-tides, and the tides are not always accommodating, so that vessels have been known to be delayed in dock two weeks, which of course means a considerable loss, as well as a grave inconvenience to trade.

In view of these circumstances, THE LONDON AND NORTH-WESTERN RAILWAY COMPANY DECIDED TO CREATE A NEW PORT, and at DEGANWAY, on the mouth of the River Conway, they have made an excellent Dock.

The Quay has been laid out with special regard to the SHIPMENT DIRECT FROM THE RAILWAY TRUCKS TO THE VESSEL, and *vice-versa*.

The Dock is in immediate connection with the Quarries of—

> THE CONWAY VALLEY.
> THE FESTINIOG VALE.
> THE LLANBERIS DISTRICT.
> THE NANTLLE VALE.
> BETHESDA, BANGOR.
> And CARNARVON.

It has been constructed so as to afford special and improved accommodation for the Storage and Shipment of Slates, more particularly of those coming from the Festiniog District, generally known as Portmadoc Slates, from which Quarries the Railway Company will convey the Slates at through rates direct in Quarry Waggons to the Storage Ground, or on Board the Steamers.

Rhaglen cyhoeddiad a roddwyd allan gan y 'LNWR' ar gyfer datblygu cei Deganwy.
A prospectus issued by the LNWR for the development of Deganwy quay.

Eglwys Deganwy fel yr ymddangosodd yn hwyr yn yr un-deg-nawfed ganrif. Gellyr gweld Conwy a Phenmaenmawr yn y pellter.
Deganwy church as it appeared in the late nineteenth century. Conwy and Penmaenmawr can be seen in the distance.

'Roedd eglwys Deganwy yn safyll uwchben y pentref, fel gallwn weld yn yr olygfa hon.
Deganwy church was perched above the village as can be seen in this view.

Canolfan Deganwy fel ei gwelir o'r mynydd. Yn y cefndir mae pig y Gogarth Fawr.
The centre of Deganwy as seen from the mountain. In the background is the tip of the Great Orme.

Mae cerbydau agored llawn o deithwyr yn aros i ymadael a gorsaf rheilffordd Deganwy. Mae'r orsaf ar y chwith a'r ganolfan siopau ar y dde. Yn y cefndir canol mae Gwesty Castell Deganwy.
Open charabancs full of passengers wait to depart from Deganwy railway station. The station is on the left and the shopping centre is to the right. In the centre background is the Deganwy Castle Hotel.

Deganwy fel gellir ei weld o fynydd Conwy. Ym mlaen y pictwr mae Conwy, gyda Llandudno yn y pellter.

Deganwy as seen from Conwy mountain. In the foreground is Conwy, with Llandudno in the distance.

Ffordd Fferm y Bwlch, Deganwy ar droead y ganrif.

Bwlch Farm Road, Deganwy at the turn of the century.

Deganwy fel gellir ei weld o ochr arall yr aber, yn dangos canolfan y pentref a Gwesty Castell Deganwy ar ochr chwith y pictwr. 'Roedd yr olygfa fel hyn er troead y ganrif. Mae Gwesty Castell Deganwy yn sefyll ar dir yr hen gastell Plantagenet, felly cafodd y gwesty ei enw.

Deganwy as seen from the other side of the estuary, showing the village centre and the Deganwy Castle Hotel on the left of the picture. This view dates from the turn of the century. The Deganwy Castle Hotel stands on the site of the old Plantagenet castle, hence the hotel's name.

Hwylio yn Deganwy. Yn yr olygfa yma, gellir gweld fod regatta yn mynd ymlaen.
Sailing at Deganwy. In this view it would appear that there is a regatta taking place.

Mae hwylio wedi bod yn adloniant boblogaidd i fobl ar eu gwyliau ac i fobl yr ardal yn Deganwy am flynyddoedd, fel mae'r olygfa hon o'r 20fed ganrif yn dangos.
Sailing has been a popular pastime for holidaymakers and locals at Deganwy for many years, as this early twentieth-century view shows.

Mae cychod er mwyn y daith i Drefriw yn aros ar lanfa Deganwy yn yr 1890au.
Boats for the trip to Trefriw wait at the Deganwy jetty in the 1890s.

Mae ymwelwyr â Deganwy yn cymeryd mantais o bleserdaith mewn cwch rhwyfo ar afon Conwy ym mlynyddau cynnar yr 20fed ganrif. 'Roedd y pleserdeithiau hyn yn rhoddi incwm ychwanegol i gwchddynion yr ardal yn ystod misoedd yr haf.

Visitors to Deganwy take advantage of a rowing-boat trip on the River Conwy in the early years of the twentieth century. These trips provided a source of extra income for local boatmen during the summer months.

Mae pwysigrwydd yr afon i Deganwy i'w gweld yn glir yn yr olygfa yma, gan ddangos llawer math o grefftau ar y traeth.

The importance of the river to Deganwy is clearly seen in this view, showing various types of craft on the beach.

Mae agerlongau pleser yn llwytho i fynnu ar y lanfa ar draeth Deganwy ar ddiwrnod haf yng nghyfnod Edward 7fed.

Pleasure steamers load up at the jetty on Deganwy beach on a summer's day during the Edwardian period.

Mae agerlong pleser yn mynd ar hyd aber Conwy ac yn myned heibio Deganwy, tra mae llongau pleser yn edrych fel pe byddant yn paratoi i gymeryd rhan mewn regatta arall. Mae plant yn padlo yn y dwr tra byddant yn mwynhau eu gwyliau.

A pleasure steamer passes along the Conwy estuary and by Deganwy, while yachts seem to be preparing to take part in yet another regatta. Children paddle in the water as they enjoy their holiday.

Estyniad tywodlyd bach yw traeth Deganwy ar yr aber sydd tu hwnt i'r pentref. Mae'r olygfa hyn o'r 19fed ganrif yn ymddangos cabanau ymdrochi a oedd yn angenrheidiol yn y dyddiau Victorianaidd, gydag un ohonynt yn hysbysu Gwesty Castell Deganwy.
Deganwy beach is a small sandy stretch on the estuary just beyond the village. This nineteenth-century view shows bathing huts, so necessary in Victorian days, one of which is advertising the Deganwy Castle Hotel.

Golygfa arall ar draeth Deganwy. Mae'n ymddangos ei bod yn ddiwrnod hâf twym os beiriadwn wrth nifer yr ymbareliau hâf sydd yn cael eu defnyddio.
Another scene on Deganwy beach. It appears to be a hot summer's day judging by the number of parasols in use.

Y rhodfa yn Deganwy, yn nodweddiadol o rodfeydd Victorianaidd ar arfordir Gogledd Cymru. Yn y cefndir mae tren o Landudno. Cyrhaeddwn y traeth, ac mae felly hyd yn hyn, wrth groesi pontdroed dros y rheilffordd sydd yn ymuno'r pentref a'r traeth.
The promenade at Deganwy, typical of Victorian promenades on the North Wales coast. In the background is a train from Llandudno. The beach was, and still is, reached by crossing a footbridge over the railway which links the village with the shore.

Mae plant yn ymddangos eu bod yn mwynhau eu hunain yn yr olygfa Edwardian hyn.
Children seem to be enjoying themselves on Deganwy beach in this Edwardian view.

Llandudno a y Gogarth
Llandudno and the Great Orme

Golygfa o'r 1930au o Draeth Gorllewin, Llandudno. Mae'r Traeth Gorllewin wedi bod lawer mwy tawel ar hyd y blynyddau nac oedd y Traeth Gogleddol sydd yn llawer mwy poblogaidd, y ddau wedi eu gwahanu gan y rhan fwyaf o'r Gogarth Fawr. Yn yr olygfa hyn mae tai, y llyn cychod, ac yn y cefndir mae Deganwy. Mae'r llyn cychod yn edrych yn weddol boblogaidd, tebyg oherwydd fod pobl yn eisiau tipyn o dawelwch a chael osgoi oddiwrth prysurdeb y Traeth Gogleddol.

A 1930s view of West Shore, Llandudno. West Shore has always been quieter than the much more popular North Shore, separated from it by the bulk of the Great Orme. In this view are houses, the boating lake and, in the background, Deganwy. The boating lake seems to be quite popular, probably with people wanting a little quiet and escaping from the bustle on North Shore.

Golygfa lawer mwy cynnar o'r Traeth Gorllewin, a neb oddeutu. 'Roedd y Traeth Gorllewin yn cael ei adnabod fel Traeth Conwy oherwydd ei fod yng ngen aber Conwy.
A much earlier view of West Shore, with nobody about. West Shore was known as Conway Shore as it is at the mouth of the Conwy estuary.

Datblygiad tai ger y Traeth Gorllewin yn y 1930au. Fel Deganwy, cafodd rhai tai dymunol iawn eu adeiladu yn yr ardal hon yn y 1930au. Mae llawer o'r tai hyn yn cymeryd ymwelwyr yn ystod misoedd yr haf. Mae'r darlun hyn yn dangos pa mor daclus ydi Traeth Gorllewin a mae yn dal i fod yn adran goeth o Landudno hyd yn hyn ac heb ei ysbeilio gan ormod o deithwyr.

Housing development on West Shore in the 1930s. Like Deganwy, some very desirable properties were built in this area during the 1930s. Many of these houses take in holidaymakers during the summer months. This picture shows how well laid out West Shore is. It remains an elegant part of Llandudno and relatively unspoilt by tourism.

Y llyn cychau ger y Traeth Gorllewin, a phlant yn hwylio llongau tegan. Yn y cefndir mae'r rhodfa, gyda lloches, tai bach, gwesty, gyda'r rhan fwyaf o'r Gogarth Fawr yn pendronni uwch eu pen.

The boating lake, West Shore, with youngsters sailing toy craft. In the background are the promenade, with shelter, small houses, a hotel and, brooding above it all, the bulk of the Great Orme.

Golygfa arall o'r llyn cychau yn y 1950au. Mae plant yn dal i gymeryd pleser wrth hwylio cychau tegan, hyd yn oed yn y dyddiau soffyddol iawn hyn. Mae tai newydd wedi cael eu codi yn agos i'r rhodfa, gyda rhai ohonynt yn darpar lle i aros i'r ymwelwyr niferol sydd yn dyfod i Landudno.

Another view of the boating lake in the 1950s. Children still seem to take pleasure in sailing toy boats, even in these days of greater sophistication. New housing has been built close to the promenade, some of which is providing guest-house accommodation for the numerous visitors coming to Llandudno.

Model Yacht Pond, Llandudno.

Y llyn cychau yn y 1920au. Mae cystadleuaeth cychau model fel pe bau yn cymeryd lle, gan feiriadu wrth y diddordeb sydd yn cael ei ymddangos.

The boating lake in the 1920s. A model-boat competition appears to be taking place judging by the close interest being taken in proceedings.

Y cerflun ger y Traeth Gorllewin wedi ei gysegru i Lewis Carroll. Mae pobl wedi dweud am amser fod Charles Dodgson wedi adrodd chwedl Alice in Wonderland *i'w ferch pan allan mewn cwch ger y Traeth Gorllewin.*

The statue on West Shore dedicated to Lewis Carroll. It has long been said that Charles Dodgson told the story of *Alice in Wonderland* to his daughter while boating in the sea just off West Shore.

Yn nythu yn erbyn ffin Gorllewin y Gogarth Fawr mae Gwesty Abaty'r Gogarth yn ystod y blynyddau cyntaf o'r ganrif hon. Ar y blaen mae hen fythynnod sydd wedi mynd erbyn hyn. Mae geifr y Gogarth, a gafodd eu rhoddi yn anrheg i Landudno gan y Frenhines Victoria, yn goresgyn y gerddi o amgylch y gwesty yn aml.

Nestling against the western edge of the Great Orme in the early years of this century is the Gogarth Abbey Hotel. In the foreground are old cottages, now gone. Orme goats, presented to Llandudno by Queen Victoria, frequently invade the gardens surrounding the hotel.

Y llety a'r porth mynedfa i'r Ffordd Forol ger y Traeth Gorllewin. Mae'r darlun hyn o'r 19fed ganrif yn dangos cerbyd, yn cael ei dynnu gyda cheffyl, sydd yn llawn o fobl sydd wedi bod o amgylch y Gogarth Fawr ar hyd y Ffordd Forol o hyd pedair milltir. Ar hyd y blynyddau, mae cerdded ar hyd y Ffordd Forol wedi defnyddio llawer i brynhawn ac wedi darpar mwynhad llawer o olygfeydd mwynhaus. Yn y blynyddau diweddaraf, mae'r Ffordd Forol wedi ei chau oherwydd fod cwympgraig wedi lladd menyw a oedd yn cerdded arni. Mae'n rhaid gobeithio fydd y Gogarth yn ddiogel ddigon i bobl gael mwynhau cerdded ar hyd y Ffordd Forol eto rhywbryd.

Lodge and entrance gate to the Marine Drive at West Shore. This nineteenth-century picture shows a horse-drawn charabanc full of people who have been driven around the Great Orme along the four-mile Marine Drive. Over the years, a walk on the Marine Drive has passed an afternoon and allowed the enjoyment of many scenic views. Marine Drive has recently been closed after a rockfall killed a woman who was walking there. It is to be hoped that the Orme will be made safe enough for people to once again enjoy the pleasures of the walk.

'Roedd mwyngladdio copr yn mynd ymlaen ar y Gogarth Fawr ar hyd llawer canrif a daeth i ben yn ystod yr un-deg-nawfed ganrif oherwydd fod costiau y tynnu allan wedi mynd yn rhy uchel. Yma, mae ceffyl yn pori ar y Gogarth rhwng siafftiau awyr yr hen bwlliau copr.

Copper mining on the Great Orme has been going on for many centuries and only ceased in the nineteenth century after the cost of extraction became too high. Here, a horse grazes on the Orme among the air shafts of the old copper mines.

Mae siaft awyr yn gwthio allan uwchlaw y Gogarth Fawr fel atgofiad o'r mwyngladdio copr a aeth ymlaen yna. 'Roedd y mwyngladdio yn rhoddi gwaith cyflog i lawer o'r bobl oedd yn byw yn yr ardal. Cafodd y pentref sydd tu ol i'r siaft ei adeiladu er mwyn darpar tai i'r mwyngladdwyr i fyw ynddynt a tebyg fod hwn wedi bod yn un o'r llefydd diwethaf lle bu'r iaeth Gymraeg yn fyw ar ol i Landudno gael ei Seisnigeiddio gan y cynnydd yn nifer yr ymwelwyr a ddaeth i'r ardal.

An air shaft protrudes above the Great Orme as a reminder of copper mining that was undertaken there. This mining provided employment for many people living in the locality. The village behind the shaft was built to provide housing for the miners and was probably one of the last bastions of the Welsh language after Llandudno had become Anglicized with the growth of tourism in the area.

Golygfa o ran o'r Gogarth Fawr oddi isod y Ffordd Forol.
View of a section of the Great Orme from below the Marine Drive.

Rhan o'r Ffordd Forol o amgylch pentir y Gogarth Fawr.
A section of the Marine Drive around the Great Orme headland.

Rhan arall o'r Gogarth Fawr a golygfa o'r Ffordd Forol.
Another section of the Great Orme with the Marine Drive in view.

Teithwyr gwyliau Edwardian yn darganfod hyfrydwch y Gogarth Fawr yng nghanol yr haf.
Edwardian holidaymakers discover the delights of the Great Orme in high summer.

Mae cerbyd yn rhedeg ymwelwyr ar hyd y Ffordd Forol, gan roddi iddynt y cyfle i fwynhau hyfrydwch garw y Gogarth Fawr a golygfeydd godidog y môr. Mae dinoethi y Gogarth i elfennau gwaethaf y tywydd wedi achosi tipyn mawr o'r graig i ddod yn rhydd ac i gwympo i lawr, a mae hyn wedi achosi llawer i ddamwain ar hyd y Ffordd Forol.

A coach runs visitors along the Marine Drive, giving them the opportunity to enjoy the rugged delights of the Great Orme and superb sea views. Exposure of the Orme to the worst elements of the weather has caused much of the rock to become loose and fall down, which has been responsible for accidents along the Marine Drive.

Pentref mwyngladdio islaw y Gogarth Fawr fel yr oedd yn ymddangos yn ddiweddar yn yr 19fed ganrif. Byddai'r pentref wedi bod yn union uwch ben y dref newydd oedd yn datblugu yn Llandudno.

A mining village under the Great Orme as it appeared in the late nineteenth century. The village would have been just above the newly developing resort town of Llandudno.

Tafarn y Fferm, y Gogarth Fawr, gyda'r dyn trwydded, J. Roberts. Mae tair menyw Victorianaidd yn sefyll mewn ystum arbennig tu allan a tebyg eu bod yn rhedeg y dafarn arwyddol Gymraeg hon yn yr 19fed ganrif.

The Farm Inn, Great Orme, the licensee being J. Roberts. Three Victorian women pose outside and they probably run this typical nineteenth-century Welsh inn.

Dŵr yn cael ei gario i fynnu'r Gogarth Fawr mewn 'churns' yn blynyddau diweddaraf yr 19fed ganrif. Dyma'r unig ffordd y gallai digon o ddŵr gyrraedd y rhannau mwyaf unig ar y Gogarth yn y dyddiau hynny.

Water carriers bring water up the Great Orme in 'churns' in the latter years of the nineteenth century. This would have been the only way water supplies could reach the remote parts of the Orme in those days.

Rhodfa atyniadol ger ochr Traeth Gogleddol y Gogarth Fawr, uwchlaw y Dyffryn Hapus.

An attractive walk near the North Shore side of the Great Orme, above the Happy Valley.

Gwersyll gwyliau y YMCA ar y Gogarth Fawr yn y 1920au.
A YMCA Holiday Camp situated on the Great Orme in the 1920s.

Cromlech ar ben y Gogarth Fawr.
Cromlech on the top of the Great Orme.

Plas Gloddaeth yn y 1920au.
Gloddaeth Hall in the 1920s.

Cymdeithas fychan ar y Gogarth Fawr fel yr oedd yn ddiweddar yn yr 19fed ganrif.
A small community on the Great Orme as it was in the late nineteenth century.

Bythynnod bychan mwyngladdwyr ar y Gogarth Fawr.
Small miners' cottages on the Great Orme.

Rofft Bach, enghraifft o fwthyn ar y Gogarth.
Rofft Bach, an example of an Orme cottage.

Hen ŵr bonheddig yn sefyll tu allan ei siop waith ar y Gogarth Fawr.
An old gentleman stands outside his workshop on the Great Orme.

Yr un dyn yn sefyll mewn ystum arbennig tu fewn ei siop waith.
The same man poses inside his workshop.

418 - Llandudno - The Bay from the Black Gate

Golygfa Bae Llandudno o'r Gogarth Fawr wrth y Porth Du yn yr 19fed ganrif, un o'r golygfaoedd panoramic gellir eu gweld o'r Gogarth a'r rheswm pam mae yn dal i ddenu cymaent o fobl.

Llandudno Bay viewed from the Great Orme at the Black Gate in the nineteenth century is one of the many panoramic views that can be seen from the Orme, the reason it continues to attract so many people.

Trwyn y Gogarth Fawr fel y gwelid hi o'r Ffordd Forol.
Nose of the Great Orme as viewed from the Marine Drive.

Mae Llandudno, wedi ei adeiladu i fynnu, i'w weld o'r Gogarth Fawr yn y pictwr yma o droead y ganrif.
A well built-up Llandudno is clearly visible from the Great Orme in this turn of the century view.

Ysgythrad o Eglwys Sant Tudno ar y Gogarth Fawr yn gynnar yn yr 19fed ganrif. Mae tref Llandudno yn cael ei hennw oddiwrth yr eglwys hon.

An early nineteenth-century engraving of St Tudno's church on the Great Orme. The town of Llandudno takes its name from this church.

Yr oedd Sant Tudno yn fynach ym Mangor, yn weddol agos i Landudno, ond bach o wybodaith sydd amdano. Mae amser yr eglwys ei hunan yn dod o'r 12fed ganrif, ond dim ond mur gogleddol corff yr eglwys sydd wedi sefyll er hynny.

St Tudno was a monk at nearby Bangor, but little is known of him. His Saint's day is celebrated on 5 June. The church itself dates from the twelfth century, but only the north wall of the nave survives from this period.

*Tebyg fod Eglwys Sant Tudno wedi cael ei adeiladu gan Esgob Anian yn yr 12fed
ganrif. Mae tystiolaeth tân i'w weld a mae'n bosib fod yr eglwys wedi cael ei llosgi i lawr
yn ystod gwrthryfeloedd Owain Glyndwr ar ddechrau y 15fed ganrif.*

St Tudno's church was probably built by Bishop Anian in the twelfth century. Evidence of
fire is visible and it may be that the church was burned down during the rebellions of Owain
Glyndwr at the beginning of the fifteenth century.

*Milwyr yn addoli tu allan Eglwys Sant Tudno yn ystod y Rhyfel Byd Cyntaf. 'Roedd y
milwyr hyn mewn llety yn Llandudno, lle mae'r ystor 'Co-operative' yn Ystryd Mostyn
yn awr, i gael hyfforddiant cyn cael eu danfon i 'Flanders'.*

Soldiers worshipping outside St Tudno's church during the First World War. These soldiers
were billetted in Llandudno, at what is now the Co-operative store in Mostyn Street, for
training before being sent to Flanders.

Llun cynnar iawn o'r tramffordd ar y Gogarth Fawr. Mae'r trams yma wedi cael eu tynnu wastad gan raff o dŷ dirwyn sydd hanner ffordd i fynnu'r ffordd. Mae'r trams yn gweithio o'r orsaf waelod hyd y tŷ dirwyn ac un arall yn mynd o'r tŷ dirwyn hyd y copa. Mae'r llun hwn yn dangos yr ail ran yn agos i'r copa.

A very early photograph of the Great Orme tramway. These trams have always been cable-hauled from a winding house situated halfway up the route. Trams operate from the base station to this winding house and another operates from the winding house to the summit. This picture shows the second stage near the summit.

Golygfa arall o dram y Gogarth yn agos i'r copa. Mae'r olygfa yn edrych yn dra noeth ar y fan yma, ond byddai'r teithiwr wedi mwynhau golygfeydd hyfrydol iawn ar ei reid i fynnu. Cafodd y tram-ffordd ei hagor yn y flwyddyn 1901.

Another view of the Orme tram near the summit. The landscape looks quite bleak at this point, but the traveller would have enjoyed some spectacular views on the ride up. The tramway was opened in 1901.

Mae'r gyrrwyr tram a gweithwyr eraill yn sefyll mewn ystum arbennig gyda tram rhif 4 ar gopa'r tram-ffordd. Gan fod y tram yn cael ei dynnu gan raff sydd rhwng y rheilennau, pwrpas unig y wifren penuwch a'r troli yw i roddi cymun.

Tram drivers and staff pose with tram No. 4 at the summit of the tramway. As the tram is cable-hauled from between the rails, the overhead wire and trolley are for communication only.

Y tram-ffordd ar y rhan gyntaf o'r ffordd i'r tŷ dirwyn. Gellyr cael syniad o sut olygfeydd gafodd eu mwynhau ar hyd y ffordd yn y llun yma, a golygfeydd o'r Eryri, yr afon Conwy, a'r Gogarth ei hunan yn y cefndir.

The tramway on the first part of the journey to the winding house. The sort of views to be enjoyed along the route can be seen here, with Snowdonia, the Conwy river and the Orme itself in the background.

Great Orme Tramway, Llandudno

Mae tram rhif 5 yn esgyn i fynnu'r Gogarth Fawr yn gynnar. Yn y cefndir mae golygfa anrhydeddus o Landudno a'r bae.

Tramcar No. 5 makes the early ascent up the Great Orme. In the background is a splendid view of Llandudno and the bay.

Yn fuan wedi gadael yr orsaf yn Llandudno, mae'r tram yn esgyn clogwyn serth i fynnu'r Gogarth, a gellid cael rhai o'r golygfeydd gorau o Landudno o'r fan yma. Gellir cael rhyw syniad o beth gallwn ddisgwyl o'r darlun yma, sydd yn dangos y dref, y bae, a'r Gogarth Fach yn glir.

Shortly after leaving the station in Llandudno, the tram climbs a steep bank up the Orme, from where some of the best views of Llandudno can be seen. An idea of what can be expected can be seen in this picture, where the town, the bay, and Little Orme are clearly visible.

Tram y Gogarth rhif 5 yn ymadael tuag at y clogwyn serth o orsaf Landudno sydd yn Church Walks. Mae'r tramiau hyn wedi bod yn lâs yn wastad a maent wedi cael eu atgyweirio ar ol i Gyngor Bwrdeisdref Aberconwy gymerid cyfrifoldeb am eu gweithrediad. Yn 1991, gohebyddwyd y cyngor fod y tramiau, er gwaethaf yr enciliad, wedi cario mwy o deithwyr na wnaethant mewn sawl blwyddyn ynghynt.

Orme tram No. 5 departs for the steep climb from the Llandudno station situated in Church Walks. These trams have always been blue in colour and have recently undergone refurbishment after Aberconwy Borough Council took over responsibility for their operation. In 1991 the council reported that, despite the economic recession, the tramway had carried more passengers than for many years previously.

Mynedfa i'r goleudy sydd yn sefyll ar ffin y Gogarth Fawr. Cafodd llawer o longau eu llongdryllio gerllaw y Gogarth ar hyd y blynyddau, ac er mwyn torri rhifer y rhai a gollwyd, adeiladwyd y goleudy gan y 'Mersey Docks and Harbour Board' yn 1862. 'Roedd yr adeilad yn cynnwys teligraff trydan i ddilyn y system semaffor.

Entrance to the lighthouse, situated on the edge of the Great Orme. Many ships had been wrecked off the Orme over the years and in order to reduce these losses, the Mersey Docks and Harbour Board had the lighthouse constructed in 1862. The building also incorporated an electric telegraph which superseded a semaphore system.

Adeilad y goleudy fel yr oedd yn fuan wedi cael ei agor.
The lighthouse building as it appeared shortly after opening.

Mae ceidwad y goleudy yn sefyll tu allan i'r adeilad ar droead y ganrif.
The lighthouse keeper stands outside the building at the turn of the century.

LANDUDNO. Gt ORME LIGHTHOUSE FROM THE SEA

Goleudy y Gogarth Fawr fel gallwn ei weled o'r mor.
The Great Orme lighthouse as seen from the sea.

HAPPY VALLEY & LLANDUDNO BAY

Golygfa banoramic o fae Llandudno, y pier, a'r Dyffryn Hapus. 'Roedd y Dyffryn Hapus yn linell o dir heb gael ei ddatblygu rhwng y Gogarth Fawr a'r Traeth Gogleddol.

A panoramic view of Llandudno Bay, the pier, and the Happy Valley. The Happy Valley was an undeveloped stretch of land between the Great Orme and North Shore.

Previous page:

Rhagflaenydd i'r goleudy oedd yr orsaf Telegraph, system semaffor lwyddianus er yn byr ei byw. 'Roedd yr orsaf yn sefyll ar y Gogarth Fawr ac yn cael ei gweithio gan Gwasanaeth Semaffor Gogledd Cymru. Mae'r ysgythrad yma o'r 1840au yn rhoddi argraff o sut oedd yr adeilad yn arfer edrych.

Precursor of the lighthouse was the Telegraph Station, a successful, but short lived, system of semaphores. The station was situated on the Great Orme and was operated by the North Wales Semaphore Service. This engraving from the 1840s gives an impression of how the building used to look.

Bae Llandudno fel ei welir o'r Gogarth Fawr. Ar y chwith i'r olygfa hyn mae'r 'Grand Hotel', a'i chefn yn nesaf at y pier. Mae'n debyg fod y Gogarth Fawr wedi cael ei henw oddiwrth y 'Norse' am fwydyn, neu neidr, gan ei bod yn edrych dipyn fel neidr-y-môr yn codi allan o'r môr.

Llandudno Bay as seen from the Great Orme. On the left of this view is the Grand Hotel, the back of which is next to the pier. The Great Orme itself is believed to have derived its name from the Norse for 'worm' or 'serpent' as it seems to be like a 'sea-serpent' rising out of the sea.

Pen y Traeth Gogleddol o'r Ffordd Forol. Ar ochr chwith y pictwr hyn mae tanc o'r Rhyfel Byd Cyntaf a gafodd ei gyflwyno i'r dref yn y 1920au. Fe gymerodd y Ffordd Forol le hen lwybr teithwyr, o'r enw 'Cust's Path', a oedd wedi cael ei adeiladu rhwng 1856 a 1858. Yr oedd yr hen lwybr yn cael ei ystyried yn beryglus ac yn 1872 cyhoeddodd Cwmni'r Ffordd Forol y Gogarth Fawr eu cynllun i droi'r llwybr i'r ffordd bresennol. Ni ddechreuodd gwaith arno hyd at 1878.

The North Shore end of the Marine Drive. On the left of the picture is an old First World War tank which had been presented to the town in the 1920s. The Marine Drive replaced an old tourist track, known as Cust's Path, which had been constructed between 1856 and 1858. The old path was considered to be dangerous and, in 1872, the Great Ormes Head Marine Drive Company issued a prospectus to convert the path into the present roadway. Work did not begin until 1878.

Y Dyffryn Hapus fel gellir ei weld ar droead y ganrif. Yn y cefndir ar yr ochr dde mae'r llety a'r porth i'r Ffordd Forol. 'Roedd yr ardal yn boblogaidd iawn gyda ymwelwyr hyd yn oed yn y dyddiau hynny.

The Happy Valley as it appeared at the turn of the century. In the right background is the lodge and entrance to the Marine Drive. Even in those days the area was very popular with holidaymakers.

Dyffryn Hapus yn llawn o fobl yn amserau 'Edwardian'. Wedi 1887, rhoddodd y teulu Mostyn y Dyffryn Hapus yn rodd i'r dref er mwyn creu parc sefydlog i glodfori Dathliad Euraidd y Frenhines Victoria.

A packed Happy Valley in Edwardian times. After 1887 the Happy Valley was presented to the town as a gift by the Mostyn family to create a permanent park to celebrate Queen Victoria's Golden Jubilee.

Mae cerddorion y Dyffryn Hapus yn difyrri cynulleidfa fawr yn y theatr agor awyr.
The Happy Valley Minstrels perform to a packed audience at the open-air theatre.

Difyrrwch ar brynhawn Victorianaidd yn theatr agor awyr y Dyffryn Hapus.
A Victorian afternoon's entertainment at the Happy Valley open-air theatre.

Prynhawn 'Edwardian' ganol hâf yn theatr y Dyffryn Hapus. Cafodd y llwyfan cyntaf a'r adeilad yma eu distrywio gan dân, a fe adeiladwyd theatre newydd yn 1933.
An Edwardian summer's afternoon at the Happy Valley theatre. This original stage and building were destroyed by fire and a new theatre was constructed in 1933.

Y Dyffryn Hapus fel yr oedd yn edrych yn y 1950au a pobl ar eu gwyliau yn mwynhau heulwen yr hâf. Yn y cefndir mae agerlong a oedd yn arfer rhedeg o bier Llandudno i'r Manaw; gwasanaeth a ddiflanodd yn gynnar yn y 1980au.

The Happy Valley as it appeared in the 1950s with holidaymakers enjoying the summer sunshine. In the background is the steamer that used to run from Llandudno pier to the Isle of Man, a service that only disappeared in the early 1980s.

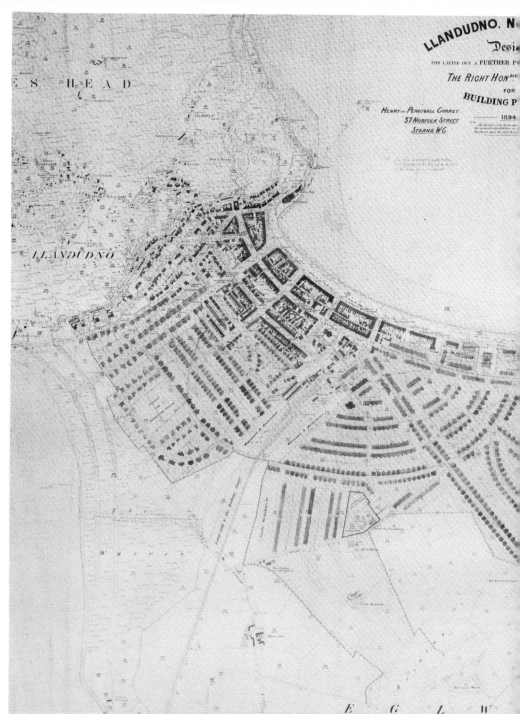

Cynllun dref Llandudno yn 1894 gan ddangos plan cyntaf y dref. Yr oedd y dref i gyd
wedi ei sylfaenu ar system rhwyllog gyda'r rhan fwyaf o'r gwestau ar y rhodfa a'r
siopau yn agos tu ol iddynt.

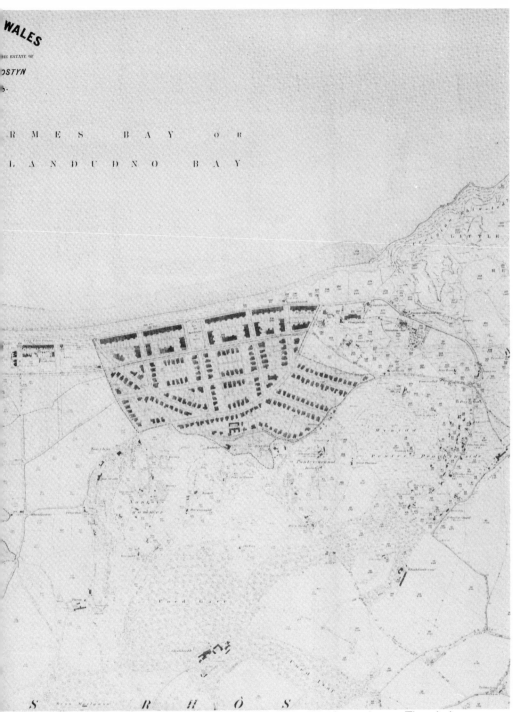

A town plan for Llandudno of 1894 showing the original town layout. The whole town was based on a grid system with most hotels on the promenade and the shopping area just behind.

Pier Llandudno yn brysur iawn ar droead y ganrif. Dyma'r pier presennol, yr ail i gael ei adeiladu. Cafodd yr un cyntaf ei adeiladu yn 1858 i ddiogelu diddordeb porthladd Sant George a'r Cwmni Rheilffordd a oedd wedi ennill Defdd Seneddol i adeiladu porth pacedau yn y dref. Fel mae'n digwydd, cafodd Rheilffordd Caerleon a Caergybi yr hawl i ddefnyddio y porth pacedau yng Nghaergybi a methodd y cynllun yn Llandudno. Distrywiwyd y pier cyntaf mewn storom yn 1859.

A very busy Llandudno pier at the turn of the century. This is the present pier and the second to be built. The first was constructed in 1858 to protect the interests of the St George's Harbour and Railway Company after an Act of Parliament was passed to build a packet port in the town. In the event, the Chester and Holyhead Railway won the right to use the packet port at Holyhead and the Llandudno project failed. The original pier was destroyed in a storm in 1859.

Y pier fel yr oedd yn edrych o'r 'Grand Hotel'. Cafodd y pier newydd yma ei adeiladu yn 1875 pan gafodd Cwmni Pier Llandudno, a oedd newydd cael eu greu, Ddefdd Seneddol i adeiladu pier newydd am £30,000. Cafodd y pier ei estynnu a'i newid yn ddiweddarach i'r adeilad presennol. Cafodd llawer o waith haearn prydferth eu ddefnyddio a mae'r pier yn dibennu wedi 1,400 troedfeddi mewn pafiliwn hyfryd.

The pier as seen from the Grand Hotel. This new pier was built in 1875 when the newly formed Llandudno Pier Company obtained an Act of Parliament to construct a new pier for £30,000. The pier was later extended and altered to what is the current structure. Plenty of ornate ironwork was used and the pier culminates, after 1,400 feet, in a fine pavilion.

Y pier ar droead y ganrif.
The pier at the turn of the century.

Mae cerbydau sy'n cael eu tynnu gan geffylau i'w cyflogi ar y pier.
Horse-drawn carriages ply for trade at the pier.

Mynediad y pier ar droead y ganrif. 'Roedd treth yn gorfod cael ei dalu er mwyn defnyddio'r pier, ond gellir ei ddefnyddio am ddim heddiw.
The pier entrance at the turn of the century. A toll had to be paid to use the pier but entrance is free today.

Theatr Pafiliwn y Pier a gafodd ei hagor yn 1886.
The Pier Pavilion theatre, opened in 1886.

Golygfa arall o Bafiliwn y Pier lle mae cerddorfa y pier wedi chwarae mewn llawer cyngerdd.

Another view of the Pier Pavilion where the pier orchestra played many concerts.

Y 'Grand Hotel' fel yr oedd yn edrych o'r pier. Cafodd y 'Grand' ei hagor yn 1901 ar safle yr hen Faddonau, pwy adain orllewin ddaeth yn 'Baths Hotel' yn 1879. Cafodd y 'Grand' ei prydweddi mewn ffilm o'r enw Yanks *am filwyr Americanaidd yn Lloegr yn ystod y rhyfel.*

The Grand Hotel as seen from the pier. The Grand was opened in 1901 on the site of the old Baths, whose western wing became the Baths Hotel in 1879. The Grand was featured in the film about American servicemen in England during the war called *Yanks*.

Edrych at y pier tuag at y pafiliwn ar ei ben draw. Gellir gweld y gwaith haearn addurniedig ar y lampau ac ar y ffensiau.

The pier looking toward the pavilion at the end. The ornate iron work can be seen on the lamps and fencing.

Cerddorfa Pier Llandudno. Yn 1887, daeth gŵr Ffrangeg o'r enw Jules Riviere yn arweinydd ac ennillodd enw da iddo ei hunan hyd iddo ddyfod yn siomedig â Cwmni Pier Llandudno, a symydodd i theatr ym Mae Colwyn.

Llandudno Pier Orchestra. In 1887 a Frenchman, Jules Riviere, became conductor and earned a great reputation before he became disenchanted with the Llandudno Pier Company and moved to a theatre in Colwyn Bay.

Mae PS La Marguerite yn nesau at bier Llandudno gyda theithwyr o Lerpwl.
PS *La Marguerite* approaches Llandudno pier with passengers from Liverpool.

Teithwyr yn glanio o agerlong i bier Llandudno.
Passengers disembark from a steamship on to Llandudno pier.

Llun cynnar iawn o'r Traeth Gogleddol yn Llandudno. Nid oedd pier yno yn yr amser hyn, a mae'r ty baddon i'w weld yn y cefndir ar yr ochr dde. Cafodd y baddonau eu dymchwel yn 1900 i wneud ffordd i'r 'Grand Hotel'. Cafodd y rwbel a gynyrchwyd ei ddefnyddio i lanw y pwll nofio mwyaf a oedd wedi cael ei agor ym Mhrydain Fawr o dan pafiliwn y pier yn 1884.

A very early photograph of the North Shore at Llandudno. No pier exists at this time, and the famous bath house is visible in the right background. The Baths were demolished in 1900 to make way for the Grand Hotel. The rubble produced was used to fill Britain's largest swimming pool which had been opened beneath the Pier Pavilion in 1884.

Esgythrad o Faddonau Llandudno yn fuan ar ol eu hagor yn 1855.
An engraving of Llandudno Baths shortly after it had opened in 1855.

Pictwr o'r gwestai rhodfa oedd newydd gael eu hagor yn Llandudno. Mae'r bae yn ymddangos yn boblogaidd gyda llongwyr yr amser hyn.

A picture of the newly built promenade hotels at Llandudno. The bay seems to be popular with sailors at this time.

Rhai blynyddau wedi'r llun blaenorol a mae adeiladu wedi dechrau yn y llawr blaen. Mae'r traeth yn cael ei ddefnyddio gan ymdrochwyr Victorianaidd.

A few years after the previous picture, and building has been undertaken in the foreground. The beach is being used by Victorian bathers.

Golygfa 'Edwardian' o'r rhodfa o Lwybr y Cariadon. Mae'r gwestai dymunol yn gwneud cefndir hardd i'r traeth a'r rhodfa, gyda'r mynyddoedd yn darpar golygfa dda tu cefn. Mae rhan o'r pier a'r tollfau i'w gweld yn y llawr blaen.

An Edwardian view of the promenade from Lovers Walk. The fine hotels provide a handsome background to the beach and promenade, with the mountains providing a backdrop. Part of the pier and the toll-booth are visible in the foreground.

Golygfa arall o'r rhodfa o Lwybr y Cariadon ar ddiwrnod hâf prysur.
Another view of the promenade from Lovers Walk on a busy summer day.

Y rhodfa, gan edrych tuag at mynedfa y pier. Yn y cefndir ar yr ochr dde mae'r 'Grand Hotel' a Pafiliwn y Pier.
The promenade looking towards the entrance to the pier. In the right background is the Grand Hotel and the Pier Pavilion.

Y rhodfa, yn agos i'r pier, yn ystod y cyfnod 'Edwardian'. Mae digon o fobl o amgylch a mae rhai wedi casglu o gwmpas bwrdd lle mae Mr Ferrari yn dangos ei adar perfformio. Cafodd y 'Grand Hotel', yn y cefndir ar yr ochr dde, ei ddefnyddio gan y BBC yn ystod yr Ail Ryfel Byd ar gyfer sioeau radio o'r enw Happidrome.

The promenade, close to the pier, during the Edwardian era. There are plenty of people about and some are gathered round a table where Mr Ferrari is showing his performing birds. The Grand Hotel, in the right background, was used by the BBC during the Second World War for radio shows known as *Happidrome*.

Coffadwriaeth Rhyfel, yn Sgwar Tywysog Edward, a gafodd ei adeiladu i atgofio'r difywyd ar ol y Rhyfel Byd Cyntaf. Mae'r llun yma fel pe bai yn dangos y seremoni cysegru wedi iddo gael ei orffen. Mae safle y Coffadwriaeth lle 'roedd cylch cerrig ar gyfer yr Eisteddfod yn 1864. Hon oedd y cyntaf o dair Eisteddfod yn Llandudno. Yr oedd y ddwy arall yn 1896 a 1963.

The War Memorial, Prince Edward Square, built to commemorate the dead of the First World War. This picture appears to show the dedication ceremony after its completion. The site of the memorial is where there was a Gorsedd stone circle for the 1864 Eisteddfod. This was the first of three Eisteddfodau in Llandudno. The other two were in 1896 and 1963.

Opposite, above:
Y rhodfa ar droead y ganrif, gan ddangos cerbydau yn cael eu tynnu gan geffylau i fynd a ymwelwyr ar hyd y Ffordd Forol i weld golygfeydd o'r Gogarth Fawr. Ar y rhodfa ei hunan gwelir cadeiriau olwyn.

The promenade at the turn of the century, showing the horse-drawn charabancs which took visitors along the Marine Drive for views of the Great Orme. On the promenade itself are wheeled bathchairs.

Opposite, below:
Yr un olygfa yn y 1920au a mae'r modur yn dechrau gwneud ei bresenoldeb yn wybodus. Mewn llai na hanner canrif, bydd y dref yn llawn o fodurau.

The same view in the 1920s, and the motor car is starting to make its presence felt. Less than half a century on and the town would be choked with cars.

Golygfa arall o'r rhodfa ar droead y ganrif gyda'r rhan fwyaf o'r Gogarth Fawr yn y cefndir.
Another view of the promenade at the turn of the century with the bulk of the Great Orme in the background.

Rhodfa lawn, gan edrych tuag at y gwestai sydd ar y blaen ar droead y ganrif.
A packed promenade, looking towards the hotels on the front, at the turn of the century.

Y Coffadwriaeth Ryfel a'r rhodfa yn y 1930au.
The War Memorial and promenade in the 1930s.

Golygfa yn hwyr yn yr 19fed ganrif o'r rhodfa, gan edrych tuag at y Gogarth Fach.
A late nineteenth-century view of the promenade looking towards the Little Orme.

Amser tawel ar y rhodfa; tebyg ei bod yn gynnar neu yn hwyr yn y tymor.
A quiet time on the promenade. Perhaps it is early or late season.

Y Rhodfa Ogleddol, Llandudno, fel yr oedd y rhan yma o'r rhodfa yn cael ei galw, ar bigyn y tymor hâf.
North Parade, Llandudno, as this section of the promenade was known, at the peak of the holiday season.

Pictwr cynnar o rodfa Llandudno yn dangos y pier cyntaf, a'r hen faddanau yn y cefndir ochr dde. Mae'r dref yn dechrau dod yn boblogaidd erbyn hyn a mae adeiladau newydd wedi cael eu dechrau ar y Gogarth er mwyn trin â dymuniadau pobl am gael lletyau i aros ynddynt ar eu gwyliau.

An early picture of Llandudno promenade showing the original pier and, in the right background, the old Baths. The town is already beginning to become popular and new building has been undertaken on the Orme to cope with anticipated demand for holiday accommodation.

Rhodfa Llandudno yn hwyr yn y cyfnod Victorianaidd. Gellir gweld sut mae'r mor-wyneb a gwestai y rhodfa wedi cael eu gosod allan. Cafodd y rhan fwyaf o'r gwestai eu cynllunio gan George Felton a G.A. Humphries, a oedd yn arolygwyr adeiladau gyda Mostyn Estates ac yn ddylwanadol iawn ynghlyn a sut oedd y dref i gael ei datblygu.

Llandudno promenade in the late Victorian period. The layout of the sea-front and promenade hotels can be clearly seen. Most of the hotels were designed by George Felton and G.A. Humphries, who were surveyors for Mostyn Estates and who were very influential in the way the whole town was laid out.

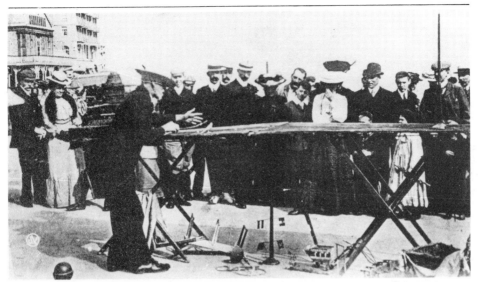

'Roedd adar perfformio Ferrari yn nodwedd bwysig o sioeau-ochr y rhodfa yn Llandudno yn y cyfnod hwyr Victorianaidd. Mae Mr Ferrari i'w weld yma yn rhoddi sioe i gynulleidfa fawr o fobl ar eu gwyliau.

Ferrari's Performing Birds were an important feature of the promenade sideshows in late Victorian Llandudno. Mr Ferrari is seen giving one of his shows to a large gathering of holidaymakers.

Mr Ferrari yn sefyll mewn agwedd arbennig tu ol ei fwrdd arddangosfa gyda rhai o'i gynulleidfa. Mae'n debyg y fyddai rhai o'i adar yn hedfan i rai o'r coed gerllaw ambell dro, a 'roedd hyn yn blino Mr Ferrari.

Mr Ferrari poses behind his display table with some of his audience. Apparently, some of the birds would fly off into nearby trees instead of performing, which would annoy Mr Ferrari.

Mae sioeau Punch a Judy wedi bod yn atyniad poblogaidd yn Llandudno er i Richard Codman eu dechrau yn ddiweddar yn yr 19fed ganrif. Yn ei dymor cyntaf, rhoddodd dirprwywyr Llandudno waharddiad ar ei berfformio. Apeliodd Mr Codman yn erbyn y waharddiad hyn, a bu yn llwyddianus, a felly sicrhaodd y byddai y difyrrwch hyn yn dal ymlaen hyd y dydd heddiw.

Punch and Judy shows have been a popular attraction at Llandudno since Richard Codman started them in the late nineteenth century. In his first season the Llandudno Commissioners put a ban on his performances. Mr Codman appealed against this decision and was successful, thus ensuring that this favourite seaside entertainment would continue up to the present day.

Opposite:
Yr 'Imperial Hotel', a adeiladwyd yn 1872. Lletyodd y gwesty hyn y Frenhines Rambai o Siam pan oedd mewn alltudiaeth hyd fod y senedd yn ei eisiau yn 1940.
The Imperial Hotel, built in 1872. The hotel housed the exiled Queen Rambai of Siam until it was requisitioned by the government in 1940.

Y 'Marine Hotel' ar wyneb-fôr Llandudno. Am bump wythnos yn 1890, arosodd y Frenhines Elizabeth o Rumania yma wedi cael ei chario i'r dref yn ddamweiniol. Mae ystrydau yn y dref wedi cael eu henwi ar ol ei enw ffafr, Carmen Sylva.

The Marine Hotel on the Llandudno sea front. For a five week period in 1890, Queen Elizabeth of Rumania stayed here after being brought to the town accidentally. Streets in the town have been named after her pen name, Carmen Sylva.

Y ffordd ar hyd y Rhodfa Ogleddol fel yr oedd yn y blynyddau diweddaraf o'r 19fed ganrif. Mae gwestai taclus ar hyd y ffordd, gyda'r 'Queen's Hotel' yn y llawr blaen. Mae'r patrwn Victorianaidd o bram babanod i'w weld ar y blaen.

The road along North Parade as it was in the latter years of the nineteenth century. Smart hotels line the road, with the Queen's Hotel in the foreground. The Victorian style of baby's pram is seen in the immediate foreground.

Gweithwyr a gwesteion tu allan yr 'Ormescliffe Hotel' ar droead y ganrif. Mae gwestai Llandudno wedi cadw llawer o fobl yr ardal mewn gwaith ar hyd y blynyddau.
Staff and guests outside the Ormescliffe Hotel at the turn of the century. Llandudno's hotels have provided much needed employment for local people for many years.

Mae cerbyd sydd yn cael ei dynnu gan geffyl yn ymaros i adael Llandudno gyda ymwelwyr a oedd yn aros yn un o'r gwestai.
A horse-drawn coach waits to leave Llandudno with visitors who have stayed at one of the hotels.

Pobl o'r ardal yn casglu gwymon ar y traeth gyda ymwelwyr yn edrych arnynt.
Locals collect seaweed from the beach while holidaymakers look on.

Pobl Victorianaidd yn mwynhau pleserau y Traeth Gogleddol.
Victorians enjoy the pleasures of the North Shore beach.

Mae marchogaethau ar gefn asyn yn dal i fod mor boblogaidd gan blant heddiw a oeddynt yn amser Victorianaidd fel y gwelwn yma.
Donkey rides on the beach are still as popular with children as they were for those from the Victorian era seen here.

Mae cychod pleser yn cystadlu am fusnes o'r glanfa ar y traeth.
Pleasure boats ply for trade from the jetty on the shore.

Mae traeth llawn o fobl yn edrych tua'r mor i wylio regatta yn myned ymlaen.
A packed beach looks towards the sea, watching a regatta in progress.

Mae cychod hwylio yn paratoi i gymeryd rhan mewn regatta ger y Traeth Gogleddol.
Sailing boats prepare to take part in a regatta off the North Shore.

'Roedd pleserau gwyliau ar lan y môr yn cynnwys cael 'rhodli yn y more. P'un ai gallwn fentro gwneud yr un peth heddiw, gyda gymaint o fudreddi wedi eu cofnodi yn ddiweddar, nid wyf yn sicr.

The pleasures of a seaside holiday included having a paddle in the sea. Whether one could take such a risk today, with the levels of pollution recently recorded, is open to question.

Mae cwch yn gadael y traeth yn llawn o fobl ar eu gwyliau i gael pleserdaith hapus.

A boat leaves the beach full of holidaymakers going on a pleasure trip.

Rhodfa a traeth yn brysur yng nghanol y 1950au. Er gwaethaf cystadleuaeth sydd yn cynyddu oddiwrth pacedau pleserdaith i lefydd fel Yr Ysbaen, gydae heulwen sicr, mae Llandudno yn dal i dynnu miloedd o fobl i anfon eu gwyliau yno bob blwyddyn.

A busy promenade and beach in the mid-1950s. Despite the increasing competition from package tours to places like Spain, with its guaranteed sunshine, Llandudno continues to attract thousands of holidaymakers every year.

Mae ymweliadau gan y Llynges Frenhinol i Landudno wedi bod yn mynd ymlaen am lawer blwyddyn. Yn y llun yma, HMS Effingham *yw yr ymwelwr.*
Visits by the Royal Navy to Llandudno have been going on for some years. Here, HMS *Effingham* is the caller.

Mae ymweliad frenhinol yn mynd ymlaen fel mae'r darlun hwn o'r Llong-bleser Frenhinol Britannia *yn dangos.*
A royal visit to Llandudno is in progress, as this picture of the royal yacht *Britannia* shows.

Argraff arlunydd o gwchfywyd Llandudno yn gweithio.
An artist's impression of the Llandudno lifeboat in action.

Golygfa arall o'r cwchbywyd. Wedi llawer o longddrylliadau yn yr ardal, cafodd Llandudno ei chwchbywyd cyntaf yn 1861.
Another view of the lifeboat. Following several shipwrecks in the locality, Llandudno was given its first lifeboat in 1861.

Mae pobl ar eu gwyliau a'r cychod yn rhannu'r traeth rhyngddynt yn yr olygfa 'Edwardian' yma.
Holidaymakers and boats share the beach in this Edwardian view.

Rhodfa Victorianaidd Llandudno, gyda cerbydau yn cael eu tynnu gan geffylau ar y ffordd, peiriannau ymdrochi ar ymyl y traeth, a merched mewn dillad hir yn eiddo bonetiau ac ymbarelau. Mae'n rhaid bod y merched truenus yn dwym dros ben yn y dillad i gyd yng nghanol yr hâf. Yn y cefndir mae'r 'Grand Hotel', Pafiliwn y Pier, ac yn pendroni dros y cyfan mae'r Gogarth Fawr.

Victorian Llandudno promenade with horse-drawn vehicles on the road, bathing machines at the shore's edge, and women in full length dresses with bonnets and parasols. Those poor women must have been dreadfully hot in all that paraphernalia at the height of the summer. In the background is the Grand Hotel, the Pier Pavilion, and, brooding over the whole scene, the Great Orme.

Ystryd Gloddaeth, gan edrych tuag at y rhodfa yn amser Victorianaidd. Mae cerbydau sy'n cael eu tynnu gan geffylau yn aros ang nghanol y rheol am fusnes o'r gwestai gerllaw. Mae rhai siopau yn agos i'r groesffordd gyda Ystrud Mostyn a gwestai yn agos i'r rhodfa.

Gloddaeth Street, looking towards the promenade in Victorian times. Horse-drawn carriages wait in the centre of the road for any business from the nearby hotels. There are a few shops close to the junction with Mostyn Street with hotels near to the promenade.

Ystryd Gloddaeth, gan edrych tuag at y Traeth Gorllewin. Mae'r olygfa yma yn y 1920au yn dangos cerbyd tram agored o'r fath 'toast rack' yn barod i fynd ar hyd Yestryd Mostyn. 'Roedd y modurau hyn yn boblogaidd gyda pobl ar eu gwyliau oherwydd y medrant fwynhau golygfeydd yr ardal yn yr awyr agored. Yng nghanol y siopau yn y cefndir, mae theatr y Palladium a gafodd ei hagor yn 1920 ar dir y neuadd farchnad, yn awr yr unig sinema yn Llandudno. Ymhellach i lawr y ffordd, tu hwnt i'r eglwys, mae gardd farchnad a oedd i fod yn lle y 'Winter Gardens Ballroom', a gafodd ei adeiladu yn 1934. Cafodd y 'Winter Gardens' eu dymchwelid yn y 1980au a mae tai gwastad i fobl wedi ymneulltio yno yn awr.

Gloddaeth Street, looking towards West Shore. This 1920s view shows a 'toast rack'-type open tramcar about to enter Mostyn Street. These vehicles were popular with holidaymakers as they could enjoy the local scenery in the open air. Among the shops in the background is the Palladium Theatre, now the only cinema in Llandudno, opened in 1920 on the site of a market hall. Further down the road, beyond the church, is a market garden which was to become the site of the Winter Gardens Ballroom, built in 1934. The Winter Gardens was demolished in the 1980s and retirement flats now occupy the site.

Ystryd Gloddaeth yn union cyn y Rhyfel Byd Cyntaf. Ar y dde mae'r ardd farchnad a oedd i fod yn lle y 'Winter Gardens Ballroom'. Ar ochr chwith y llun mae gwestai ar gyfer y masnach trafeilwyr a oedd yn tyfu i fynnu.

Gloddaeth Street just prior to the First World War. On the near right is the market garden which was to become the Winter Gardens Ballroom. On the left of the picture are hotels for the burgeoning tourist trade.

Pen uchaf Church Walks yn hwyr yn yr 19fed ganrif. Yn y cefndir ar yr ochr dde mae'r 'Royal Hotel'.
Top of Church Walks in the late nineteenth century. In the right background is the Royal Hotel.

Ysgythrad o Ystryd Llewelyn fel yr ymddangosodd yng nghanol yr 19fed ganrif.
An engraving of Llewellyn Street as it appeared in the middle of the nineteenth century.

Cerddorion Perry ac Allan yn sefyll mewn ystum arbennig tu allan yr Eglwys Bresbyteraidd. Byddai'r cerddorion wedi bod yn rhoddi sioe háf ar yr amser hyn, gan fod adloniant tebyg i hyn yn boblogaidd iawn yn Llandudno yn ystod yr amser 'Edwardian'.

Perry and Allan's Minstrels pose outside the Presbyterian church. The minstrels would have been doing a summer show at this time, this sort of entertainment being very popular in Edwardian Llandudno.

Pen isaf Church Walks, yn agos i'r rhodfa, yn dangos rhestr o westai a oedd yn cael eu defnyddio dipyn gan y bobl cyffredin a oedd yn dyfod i Landudno ar eu gwyliau.
The lower end of Church Walks, close to the promenade, showing a row of guest houses which were well used by ordinary working people who holidayed in Llandudno.

Golygfa o Landudno o Church Walks.
A view of Llandudno from Church Walks.

Llandudno fel yr oedd yn edrych o'r Gogarth Fawr, gan ddangos y cae chwarae hirgrwn. Mae'r cae yn dal i fod o hyd ac yn cael ei ddefnyddio gan Glwb Criced Llandudno yn ystod yr hâf, a chan Glwb Pel-droed Tref Llandudno yn y gaeaf. Yr oedd y tîm pel-droed yn arfer chwarae ar i tir lle mae marchnad-fawr Asda yn sefyll yn awr.

Llandudno as seen from the Great Orme, showing the Oval sports ground. The ground still exists and is used by Llandudno Cricket Club during the summer, and Llandudno Town Football Club in the winter. The town's football team used to have a ground where the Asda supermarket now stands.

Eglwys Llanrhos fel yr oedd yn ymddangos yng nghanol yr 19fed ganrif. Mae'r eglwys yn sefyll yn agos i Llandudno ar Ffordd y Conwy.

Llanrhos church as it appeared in the mid-nineteenth century. The church is situated close to Llandudno on the Conwy Road.

Bae Llandudno o'r Gogarth Fawr yn yr 19fed ganrif. Mae llong hwylio yn sefyll ar y traeth. Yn y cefndir mae'r Gogarth Fach a mynyddau'r Eryri tu hwnt.
Llandudno bay from the Great Orme in the nineteenth century. A sailing ship is beached on the shore. In the background is the Little Orme and the Snowdonia Hills beyond.

Golygfa debyg rhai blynyddau yn hwyrach. Mae'r dref wedi cael ei datblygu erbyn hyn a mae'r rhodfa a'r traeth yn edrych yn boblogaidd.

A similar view some years later. The town has now been developed and the promenade and shore seem to be popular.

Llandudno o yn agos i'r Gogarth Fach yn dangos y dref, y pier, a'r 'Grand Hotel' gyda'r Gogarth Fawr yn y cefndir. Mae llong, yn debygol o Lerpwl, yn nesau at y pier.
Llandudno from close by the Little Orme showing the town, pier, and the Grand Hotel with the Great Orme in the background. A ship, probably from Liverpool, is approaching the pier.

Llandudno yn yr 19fed ganrif, gyda Eglwys Sant George yn y llawr-blaen.
Nineteenth-century Llandudno with St George's church in the foreground.

Ysgythrad o Eglwys Sant George.
An engraving of St George's church.

Church Walks, Ystryd Llewelyn, Ffordd Abaty, a Ystryd Mostyn fel yr oeddynt yn edrych o'r Gogarth Fawr yn ddiweddar yn yr 19fed ganrif.
Church Walks, Llewellyn Street, Abbey Road, and Mostyn Street as they appeared from the Great Orme in the late nineteenth century.

Torf o fechgyn ar wyliau gwersyll yn Llandudno yn 1914. 'Roedd gwyliau gwersyll i fechgyn o deuluoedd tlawd yn gyffredin iawn yn Llandudno yn y blynyddau cynnar o'r 20fed ganrif.

A large group of boys on a camping holiday at Llandudno in 1914. Camping holidays for boys of poor families were quite common in Llandudno in the early years of the twentieth century.

Neuadd y dref, Llandudno, ym mlynyddau cynnar yr 20fed ganrif. Yn ystod y blynyddau mwy diweddar, mae neuadd y dref wedi cael ei defnyddio fel penswyddfa Cyngor Bwrdeisdref Aberconwy, ond mae hwythau wedi symud i swyddfa newydd yn Bodlondeb yng Nghonwy erbyn hyn.

The town hall, Llandudno in the early years of the twentieth century. In recent years, the town hall has been used as the headquarters of Aberconwy Borough Council, but they have now moved to new offices at Bodlondeb in Conwy.

Oriel Celf Mostyn yn y 1930au.
Mostyn Art Gallery in the 1930s.

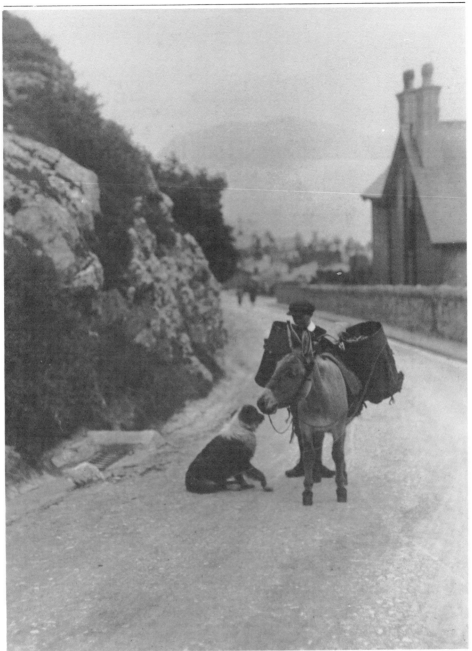

Bachgen ac asyn yn cario nwyddau yn Ffordd Tygwyn, Llandudno yn hwyr yn yr 19fed ganrif.
A boy with a donkey carrying goods at Tygwyn Road, Llandudno in the late nineteenth century.

Gan fod gymaint o ymwelwyr yn dyfod i Landudno, tyfodd diwydiant gwasanaethu yn fawr er mwyn rhoddi gwasanaeth i angenrheidiau y dref, a daeth hyn, wrth gwrs, a gwaith derbynniol iawn i bobl yr ardal. Yn y fan yma, yng ngolchdy Llandudno, mae golygfa brysur gyda ceffylau a moduron yn dosbarthu dillad glân i'r gwestai a'r lletiau a fyddai yn defnyddio gwasanaeth y golchdŷ bob wythnos yn ystod y tymor gwyliau.

With so much tourism in Llandudno, many service industries grew up to serve the needs of the town, and, of course, brought welcome employment to local people. Here, at Llandudno laundry, is a busy scene with horses and vans delivering fresh laundry to hotels and guest houses who would have used the services of the laundry every week during the holiday season.

Ceffyl cart wedi ei droi allan yn anrhydeddus, gyda gyrrwr a gweithwyr ger swyddfa Edward Owen yr adeiladwr. Tebyg fod y cart a cheffyl yn barod i gymeryd rhan mewn gorymdaith carnifal.

A beautifully turned out carthorse, with driver and staff at the office of Edward Owen, builder. The horse and cart were probably about to take part in a carnival procession.

Dechreuodd trosglwyddiad modur gymeryd trosodd gwaith y cart a cheffyl wedi diwedd y Rhyfel Byd Cyntaf fel yn yr olygfa yma o lori o berchen C.F. ac A. Brown, Cronfa Boteli.

Motor transport began to take over the role of the horse and cart after the end of the First World War as shown in this scene of a lorry belonging to C.F. & A. Brown, Bottling Stores.

Bachgen yn defnyddio asyn i ddosbarthu llaeth yn un o flynyddau cynnar yr 20fed ganrif.

A boy delivers milk using a donkey in the early years of the twentieth century.

'Roedd ymweliadau Brenhinol i Landudno yn eithaf arferol ar un amser. Fan yma, mae Tywysog Cymru, y Brenhenin Edward VII i fod, yn eistedd yn ei gerbyd yng ngorsfa Llandudno cyn symud ymlaen i'r dref.

Royal visits to Llandudno were once quite common. Here, the Prince of Wales, the future King Edward VII, sits in his carriage at Llandudno railway station before moving off into the town.

Par o dramiau o Dramffordd Trydan Llandudno a Bae Colwyn yn aros yn Ystryd Gloddaeth.

A pair of trams of the Llandudno and Colwyn Bay Electric Tramway wait in Gloddaeth Avenue.

Llun o Arglwyddes Augusta Mostyn, a oedd yn gyfrifol am lawer o'r modd yr oedd tref Llandudno wedi cael ei chynllunio.

A portrait of Lady Augusta Mostyn, who was responsible for much of the way the town of Llandudno had been laid out.

Craig-y-Don, Cartref yr Arglwyddes Forrester. Mae'r adeilad yn awr yn ysbyty preifat, Canolfan Meddygol Gogledd Cymru.
Lady Forresters Home, Craig-y-Don. The building is now the North Wales Medical Centre, a private hospital.

Gwesty Abaty'r Gogarth, y Traeth Gorllewin.
The Gogarth Abbey Hotel, West Shore.

Peth gallai fod wedi bod. Dau adeilad a oedd wedi cael eu cynllunio er mwyn Llandudno ond ni ddaethant i fod. Uwchlaw, mae Plas Victoria fel y caeth ei fwriadu, ac oedd i fod ar dir y Theatr Arcadia bresennol. Yr oedd pier, y Pier Victoria, i fod cael ei adeiladu cyferbyn a'r plas. Islaw, mae Gerddi a Pysgoty Llandudno. Byddai golygfa atyniadol yr adeiladau hyn wedi edrych yn dda lle'r oeddynt wedi cael eu bwriadu.

What might have been. Two buildings that were planned for Llandudno but never materialized. Above is the proposed Victoria Palace, which was to be on the site of the present Arcadia Theatre. A pier, the Victoria Pier, was to have been constructed opposite the Palace. Below are the Llandudno Gardens and Aquarium. The attractive appearance of these structures would have looked well in their intended settings.

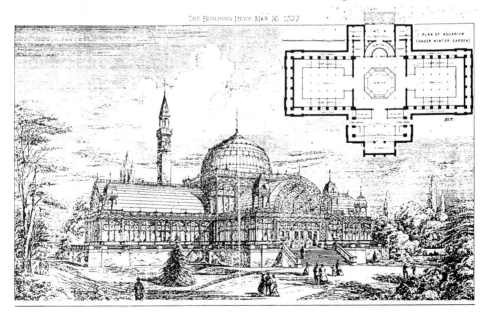

Ystryd Uchaf Mostyn yn yr 1850au, yn fuan wedi iddi gael ei hadeiladu. Yr adeilad sydd yn ei gwynebu yw'r 'Empire Hotel', a gafodd ei adeiladu yn 1854, ac oedd i ddechrau y rhes o siopau cyntaf y dref.

Upper Mostyn street in the 1850s, shortly after building. The facing building is the Empire Hotel, built in 1854, and originally the town's first block of shops.

Tuag at ddiwedd yr 19fed ganrif, yr oedd y rhes o siopau wedi eu newid i fod yr 'Empire Hotel', gyda mynedfa newydd yn cael ei chodi, fel gallwn weled yn yr olygfa hon.

By the end of the nineteenth century the row of shops had become the Empire Hotel, with a new entrance added, as can be seen in this view.

Ystryd Uchaf Mostyn ar droiad y ganrif, gyda siopau oedd wedi eu sefydlu yn dda. Cafodd y pictwr hwn ei dynnu ar gyffordd Ystryd Mostyn a Ystryd Gloddaeth. Mae Ystryd Uchaf Mostyn rhan amlaf yn dawelach na rhannau arall o Landudno.

Upper Mostyn Street at the turn of the century, with well established shops. This picture was taken at the junction of Mostyn Street and Gloddaeth Street. Upper Mostyn Street is generally quieter than the rest of Llandudno.

Mae tram yn troi i mewn i Ystryd Mostyn o Ystryd Gloddaeth yn y 1920au.
A tram turns into Mostyn Street from Gloddaeth Street in the 1920s.

Golygfa gynnar o Ystryd Mostyn, gyda Neuadd Sant George yn ochr chwith y llawr-blaen. Wedi cael ei hagor yn 1864, fe ddaeth yn fwy diweddar i fod y 'Princes Cinema' a mae yn awr yn safle marchnad-fawr 'Lo-Cost'.
An early view of Mostyn Street, with St George's Hall in the left foreground. Opened in 1864, it later became the Princes Cinema and is now the site of 'Lo-Cost' supermarket.

Mostyn Street, Llandudno.

Canol Ystryd Mostyn yn yr 1930au. Yn y cefndir mae siop adrannau Arnolds, a gauodd yn weddol ddiweddar. Mae'r cerbyd tram yn un o gerbydau Rheilffordd Drydan Llandudno a Bae Colwyn, a ddechreuodd redeg tramiau rhwng y ddwy dref yn 1907. Fe gauodd yn 1956 oherwydd ormod o gystadleuaeth oddiwrth bwsiau modur a phroblemau gyda cael digon o drydan. Pe bau'r tramffordd wedi dod i ben a chadw i fynd hyd yr 1960au, mae'n bosibl y byddai wedi dal yn agor fel atyniad i drafaelwyr, oherwydd hyd yn oed ar y diwedd yr oedd yn dal i wneud elw. Mae'n rhaid i ddyn ddim ond meddwl am lwyddiant tramiau Blackpool i sylweddoli fel y gallai tramiau Llandudno fod wedi bod yn gwneud arian da.

The middle of Mostyn Street in the 1930s. In the background is Arnolds department store which only closed very recently. The tramcar belongs to the Llandudno and Colwyn Bay Electrical Railway who began operating trams between the two towns in 1907. Competition from motor buses and problems with electrical supply led to its closure in 1956. If the tramway had managed to survive until the 1960s then it is possible that it would have remained open as a tourist attraction because even at closure the tramway was still making a profit. One only has to consider the success of Blackpool's trams to realise what a money spinner the Llandudno trams could have been.

Dyma gerbyd tram yn myned heibio y 'Carlton Bar' yn Ystryd Mostyn yn ystod y blynyddoedd cyn y Rhyfel Byd Cyntaf.
A tramcar passes the Carlton Bar in Mostyn Street in the years before the First World War.

Dyma hysbysiad groser Dunphy. 'Roedd gan Dunphy siopau mewn sawl tref yn y rhan yma o Ogledd Cymru.
An advert for Dunphy's grocers. Dunphy's had shops in many towns in this part of North Wales.

Ystryd Mostyn ar droiad y ganrif.
Mostyn Street at the turn of the century.

Mae cerbyd modur yn awgrymmu mae Ystryd Mostyn yn ystod y deng mlynedd cyntaf o'r 20fed ganrif ydyw hon.
A motor car suggests that this is Mostyn Street in the first decade of the twentieth century.

Golygfa a Ystryd Mostyn yn hwyr yn yr 19fed ganrif gyda cheffylau a cerbydau i'w cyflogi.

A late-nineteenth-century view of Mostyn Street, with horses and carriages for hire.

Hysbysiad siop ddodrefn yn Ystryd Mostyn yn ddiweddar yn yr 19fed ganrif.

A Mostyn Street furniture shop advert of the late nineteenth century.

Eglwys Trinity yng nghanol Ystryd Mostyn. Mae'r eglwys yng nghanol ei thir ei hunan ac yn ffurfio canolfan Sgwar Trinity.
Trinity Church in the middle of Mostyn Street. The church is in the middle of its own grounds and forms the centre piece of Trinity Square.

Ystryd Mostyn yn hwyr yn yr 19fed ganrif, gyda Eglwys Trinity ar y chwith yn cael ei amgylchu a choed. Y ffordd sydd yn mynd i'r chwith ydyw Trinity Avenue, sydd yn croesi Ystryd Madoc ac yn myned i fynnu tuag at y Traeth Gorllewin.

Mostyn Street in the late nineteenth century, with Trinity Church on the left surrounded by trees. The road going off to the left is Trinity Avenue which crosses Madoc Street and goes on up to the West Shore.

Ystryd Mostyn yn llawn o fobl yn yr 19fed ganrif a siopau ar ei hyd, gyda llawer ohonynt wedi newid dwylo lawer gwaith ar hyd y blynyddau. Ar ochr chwith y pictwr mae Neuadd Sant George.

A crowded nineteenth-century Mostyn Street with a full complement of shops, many of which have changed hands quite often over the years. On the far left of the picture is St George's Hall.

Ystryd Mostyn ar droead y ganrif.
Mostyn Street at the turn of the century.

Mae'r modur tram cyntaf yn mynd ar hyd Ystryd Mostyn ar 19 Hydref, 1907.
The first electric tramcar passes down Mostyn Street on 19 October 1907.

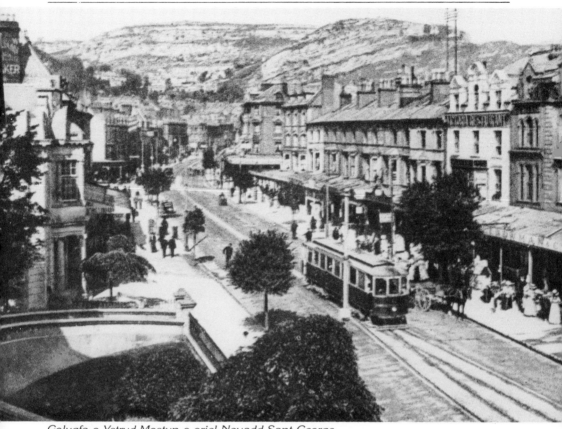

Golygfa o Ystryd Mostyn o oriel Neuadd Sant George.
A view of Mostyn Street from the balcony of St George's Hall.

Ystryd Mostyn Isaf o'r 'North Western Hotel', gyda gerddi addurnol yn y llawr-blaen canol.
Lower Mostyn Street from the North Western Hotel, with the ornamental gardens in the centre foreground.

Ystryd Mostyn Isaf fel yr oedd yn edrych yn ddiweddar yn yr 19fed ganrif.
Lower Mostyn Street as it appeared in the late nineteenth century.

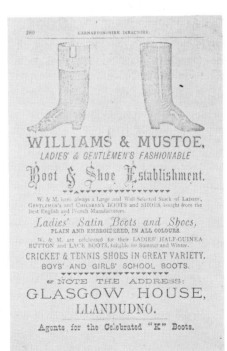

Hysbysiad siop esgudiae Williams a Mustoe o Landudno.
A shoe shop advert for Williams & Mustoe of Llandudno.

Ystryd Mostyn Isaf ar droead y ganrif, gyda cheffylau a cerbydau yn aros am fusnes, a gerddi addurnol yng nghanol y pictwr. Am flynyddoedd lawer, caffod y gerddi eu ardreth i'r 'North Western Hotel' fel 'bowling green' fechan i aelodau preifat. Ar yr amser hyn, yr oedd y gerddi wedi eu amgylchu gan glawddiau tal tew ac oedd toiledau salw o frics coch yn sefyll yno. 'Roedd siopwyr yr ardal yn anhappus am y trefniad yma. Gorfod iddynt aros hyd yr ail ddeng-mlynedd yn yr 20fed ganrif cyn bod gwahaniaethau wedi cael eu gwneud i'r ardal.

Lower Mostyn Street at the turn of the century, with horses and carriages waiting for business and the ornamental gardens in the middle of the picture. For many years these gardens were leased to the North Western Hotel as a mini bowling green for private members. At this time, the gardens were surrounded by tall thick hedges and contained an ugly red brick toilet above ground. This arrangement brought rumblings of discontent from shopkeepers in the surrounding area. It was not until the second decade of the twentieth century that changes were made to the area.

Y gerddi addurnol yn y 1920au. Yn 1922, penderfynodd Mostyn Estates i agor y gerddi i'r cyhoedd gael eu defnyddio. Cafodd llawer o gynlluniau eu creu ac oedd rhai ohonynt yn cynnwys nodweddau fel stondin ardderchog neu goffadwriaeth rhyfel. O'r diwedd, fe benderfynnwyd cael gardd o ddull catrodol gyda rhestr o doiledau o dan y tir fel na bod yr olygfa an cael ei ymyrryd. Dibennwyd y gwaith hyn yn 1926 a rhoddod yr Arglwydd Mostyn y gerddi yn rodd i'r dref. Ar hyd blynyddau y rhyfel, cafodd y gerddi eu galw yn ol fel bod lloches-rhuthr-awyr yn cael ei adeiladu ar y fan hynny. Yn awr, mae'r gerddi yn le atuniadol i fobl i eistedd i lawr i weld y byd yn mynd heibio.

The ornamental gardens in the 1920s. In 1922 Mostyn Estates decided to open up the gardens for public use. Many plans were created which included features like a grandstand or war memorial. Finally it was decided that a regimental-style garden would be laid out, with a set of toilets below ground so that the view would not be interrupted. This work was completed in 1926 and Lord Mostyn gifted the gardens to the town. During the war years the gardens were requisitioned for an air raid shelter to be built on them. Nowadays the gardens provide an attractive place to sit down and watch the world pass by.

Golygfa gynnar iawn o Landudno a Craig-y-Don. Mae'r ardal heb gael ei datblygu yn gyfan a nid oedd Craig-y-Don i gael llawer iawn o waith adeiladu cyn canol yr 20fed ganrif. Mae gwestai lan-y-môr fel pe baent wedi cael eu dechrau fel bod y diwydiant trafaelu yn brasgamu ymlaen a bydd llawer o'r tir gwag yn gweld mwy o westai yn cael eu codi yn fuan.

A very early view of Llandudno and Craig-y-Don. The area has yet to be fully developed and Craig-y-Don would not undergo any real building work until well into the twentieth century. Sea-front hotels do seem to have been started as the tourist industy moves into its stride, and much of the vacant land will soon see many more hotels being constructed.

'Bryn Hotel', Craig-y-Don yn y blynyddau cyn yr Ail Ryfel Byd. Er fod Craig-y-Don dipyn o ffordd o Landudno ei hunan, 'roedd gwell gan llawer o fobl aros yno gan ei fod yn dawelach na'r cyrchfan pennaf. Am y rheswm hyn, cafodd sawl gwesty mawr eu codi yng Nghraig-y-Don.

Bryn Hotel, Craig-y-Don in the years before the Second World War. Although Craig-y-Don is a little distant from Llandudno itself, many people liked to stay there as it tended to be quieter than the main resort. For this reason there were several large hotels in Craig-y-Don.

Ffordd y Frenhines, Craig-y-Don ar droead y ganrif. Mae siopau a gwestai ar hyd y ffordd. Yn mynd ar ganol y ffordd mae gorymdaith i ddathlu dydd mis Mai.
Queens Road, Craig-y-Don at the turn of the century. The road is lined with shops and hotels. In the middle of the road is a procession to celebrate May Day.

Sefydliad lletyau Craig-y-Don yn yr 1920au. Yr oedd y lletyau yma yn darpar llefydd weddol resymol i deuliodd dosbarth gweithio a oedd yn gallu cael gwyliau ar lan-y-môr.

The Craig-y-Don Boarding House Establishment in the 1920s. These boarding houses provided cheap accommodation for working-class families who had the opportunity to take seaside holidays.

Ystryd o dai yn Craig-y-Don gyda Hewitts, y trwsiadur gwallt, ar y pen. Mae'r perchen, ei wraig a'i ferch yn sefyll o flaen y siop. Mae dau blentyn arall yn sefyll yn yr ystryd. A gweld fel maent wedi eu gwisgo, tebyg fod y pictwr hyn wedi cael ei dynnu ar droead y ganrif.

A street of houses in Craig-y-Don with Hewitt's Hairdressers on the end. The proprieter along with his wife and daughter are standing in front of the shop. Two other children are standing in the street. From the way they are dressed it seems that the picture was taken at the turn of the century.

Bae Penrhyn
Penrhyn Bay

'Craigside Hydro Hotel, Llandudno.'

FRITH LDO 6

'Craigside Hydro Hotel' ar y Gogarth Fach. Yr oedd y gwesty yn foethus yn ei dydd, ond cafodd ei dymchwelid yn yr 1970au i wneud ffordd i ddatblygiad tai cyfyngedig sydd wedi tyfu yn yr ardal. Cafodd y gwesty ei ddefnyddio gan 'Hotpoint', y gweithwyr peiriannau golchi, am rai blynyddau cyn iddo gael ei ddymchwelid. Tu draw i'r gwesty mae Meisi Bodafon, lle 'roedd parc thêm 'Alice in Wonderland' i gael ei greu. Gwaetha'r modd, ni ddaeth unrhyw beth o'r cynllun yma.

Craigside Hydro Hotel on the Little Orme. The hotel was luxurious in its day but it was demolished in the 1970s to make way for exclusive housing development that has grown up in this area. The hotel was used by Hotpoint, the washing machine manufacturers, for a few years until demolition. Beyond the hotel is Bodafon Fields, where an Alice in Wonderland Theme Park was to have been established. Unfortunately, nothing came of this plan.

Y Gogarth Fach fel yr oedd yn edrych yng nghanol yr 19fed ganrif.
The Little Orme as it appeared in the mid-nineteenth century.

Y ffordd o amgylch y Gogarth Fach fel y mae yn myned tuag at Bae Penrhyn.
The road around the Little Orme as it heads towards Penrhyn Bay.

Y Gogarth Fach fel yr oedd yn edrych yng nghanol yr 19fed ganrif. Dim ond llawer bach o ddatblygiad oedd wedi mynd ymlaen ar yr amser hyn ac oedd y ffordd yn gul iawn.
The Little Orme as it appeared in the mid-nineteenth century. There was little in the way of development here at this time and the road was very narrow.

Golygfa debyg o'r Gogarth Fach yn yr 1940au. Mae'r ardal wedi cael tipyn o ddatblygiad erbyn hyn a mae'r ffordd wedi cael gwelliant.
A similar view of the Little Orme in the 1940s. The area has undergone some development and the road has been improved.

Rhiw Penrhyn sydd yn rhedeg o amgylch y Gogarth Fach, gyda tram o Landudno i Fae Colwyn yn rhedeg i lawr y rhiw. Ar wahan i rai ffermydd, yr oedd yr ardal yn weddol wledig yn y llun yma cyn y Rhyfel Byd Cyntaf. Nid oes dim ond llwybr yn mynd i Fae Penrhyn yr amser hyn.

Penrhyn Hill, which runs around the Little Orme, with a Llandudno to Colwyn Bay tram running down the hill. Apart from a few a farms, the area is very rural in this pre-First World War view. Nothing more than a track runs into Penrhyn Bay at this time.

Golygfa 'Edwardian' o'r llwybr i Fae Penrhyn, gyda tram yn rhedeg o amgylch y Gogarth Fach.
An Edwardian view of the lane into Penrhyn Bay, with the tram running around the Little Orme.

Wedi'r Rhyfel Byd Cyntaf cafodd y llwybr welliant. Wedi i'r dram-ffordd gael ei chau yn yr 1950au cafodd y ffordd i Fae Penrhyn rhagor o welliant a mae ffordd ddeuol-redeg yn mynd i lawr Rhiw Penrhyn yn awr a does dim o'r dram-ffordd i'w gweld yn rhagor.
After the First World War the lane was improved. Once the tramway had closed in the 1950s, the road to Penrhyn Bay was improved still further and a dual carriageway now runs down Penrhyn Hill. No sign of the tramway exists.

Mae tram trydan yn esgyn i fynnu'r rhiw o Rhôs-on-Sea i bentref Penrhynside, sydd i'w weld ar grib y rhiw.
An electric tram climbs the hill from Rhôs-on-Sea to the village of Penrhynside which can be seen on the crest of the hill.

Mae Hen Neuadd Penrhyn yn sefyll ar droed y Gogarth Fach ym Mae Penrhyn a mae wedi sefyll yn y fan yma er yr 16ed ganrif. Heddiw, mae yn glwb nos poblogaidd iawn. Gellir gweld un o ystafelloedd y neuadd yn y darlun yma.

Penrhyn Old Hall is situated at the foot of the Little Orme in Penrhyn Bay and has been here since the sixteenth century. Today it is a night club and is very popular. One of the rooms of the hall can be seen in this view.

Mae tram trydan yn nesau at y ffordd i Fae Colwyn, ger Penrhynside, yn yr 1920au.

An electric tram approaches the Colwyn Bay road, Penrhynside in the 1920s.

Y stryd bennaf, Penrhynside, yn y blynyddoedd cyn y Rhyfel Byd Cyntaf. Mae'r dafarn Penrhyn Arms i'w gweld ar y dde.
The main street, Penrhynside in the years prior to the First World War. The Penrhyn Arms public house is on the right.

Penrhynside, gyda'r Penrhyn Arms ar y chwith. Ar y dde, mae'r Ystor Gyffredin gyda'r perchen yn sefyll tu allan yn siarad a cwsmer.
Penrhynside, with the Penrhyn Arms on the left. To the right is the General Store with the proprietor outside talking to a customer.

Y Capel Methodistiaidd, Penrhynside.
The Methodist chapel, Penrhynside.

Ffordd Colwyn, Bae Penrhyn fel yr oedd yn edrych yn ddiweddar yn y gyfnod Victorianaidd. Mae'r Gogarth Fach yn y cefndir.
Colwyn Road, Penrhyn Bay as it was in late Victorian times. The Little Orme is in the background.